GERMAN POETRY

GERMAN POETRY

For Students

CHOSEN BY

A. WATSON BAIN, M.A.

EDITOR OF "FRENCH POETRY FOR STUDENTS" AND "A BOOK OF
POETRY FROM SPENSER TO BRIDGES"

LONDON
MACMILLAN & CO LTD
NEW YORK · ST MARTIN'S PRESS
1955

MACMILLAN AND COMPANY LIMITED
London Bombay Calcutta Madras Melbourne

THE MACMILLAN COMPANY OF CANADA LIMITED
Toronto

ST MARTIN'S PRESS INC
New York

*First Edition 1931
Reprinted 1932, 1941, 1946, 1949
1953, 1955*

PRINTED IN GREAT BRITAIN

PREFACE

THIS book has been prepared in response to requests for a German one on the same lines as *French Poetry for Students*, first published in 1926 and now in its fourth edition. It contains specimens of the work of some eighty poets from Luther to the present day, as well as a few folk songs of unknown authorship. They have been arranged chronologically, except the folk songs, which, as in some German collections, are for convenience placed first. Luther's hymn, the earliest in time, has been slightly modernized. A few poems, such as those by Arndt, Hoffmann von Fallersleben, and Schnecken-burger, have been included for historical rather than poetical reasons, and Scheffel's " Altassyrisch " because of its quaint antiquarian humour.

German poetry is ample in quantity and, if on the whole less artistic and delicate than French, is simpler and more direct in its appeal. The ballad and romantic element in it is specially strong, and few poems in any language are more vivid and striking than Bürger's " Lenore," which so delighted Sir Walter Scott. As many as possible of this type have been included ; and the book also contains a considerable amount of recent and contemporary work. During its compilation many anthologies have been consulted, including the *Oxford Book of German Verse*, our standard collection, which has at least one advantage over those published in Germany, namely, that it does justice to the third great German poet, whose work his editorial fellow-countrymen tend to ignore. Any representative selection of German poetry must include many poems that appear in such an admirable book; but quite a number given here are not contained in it, and there is doubtless room beside it for one that is smaller and less expensive.

Germany has not nearly such a rich sonnet literature as Italy, France, or England; but several of her poets have used the form, and the fourteen sonnets here included are, like those in *French Poetry for Students*, grouped together at the end of the book. Another feature it has in common with its predecessor is the addition of a few carefully selected verse translations, which, it is hoped, will encourage students to attempt similar work themselves.

A. W. B.

Christmas 1930.

ACKNOWLEDGMENTS

FOR kind permission to reproduce copyright poems, cordial thanks are due to the following authors, literary executors and publishers: Freiherr von Münchhausen, for "Avalun" (Das Liederbuch: Deutsche Verlags-Anstalt, Stuttgart); Dr. Richard von Schaukal, for three poems (Gedichte: Georg Müller, München); Prinzessin Emil von Schoenaich-Carolath, for "Ver Sacrum," by Prinz Emil von Schoenaich-Carolath (Göschen, Leipzig); Frau Else Avenarius, for "Rolands Horn," by Ferdinand Avenarius (Stimmen und Bilder: Georg D. W. Callwey, München); Frau Ida Dehmel, for four poems by Richard Dehmel (G. Fischer, Berlin); Frau Otto Ernst, for "Der Ruf," by Otto Ernst (L. Stackmann, Leipzig); Frau von Kusenberg-Puttkamer, for "Ruhe," by Alberta von Puttkamer; H. Haessel, Leipzig, for poems by C. F. Meyer and Ricarda Huch; J. G. Cotta'sche Buchhandlung Nachfolger, for "Lied von Sorrent,' by Paul Heyse (Gedichte), and "Unterdessen," by Gustav Schüler (Meine grüne Erde); Deutsche Verlags-Anstalt, Stuttgart, for three poems by Liliencron; Georg Westermann, Braunschweig, for "Der törichte Jäger," by Gustav Falke; J. H. W. Dietz Nachfolger, Berlin, for

" So einer war auch er ! " by Arno Holz (Buch der Zeit) ; Hesse & Becker, Leipzig, for " Möwenlied," by Karl Henckell ; Insel-Verlag, Leipzig, for poems by O. J. Bierbaum (Irrgarten der Liebe), Hugo v. Hofmannsthal (Gesammelte Gedichte), and R. M. Rilke (Buch der Bilder) ; Greiner & Pfeiffer, Stuttgart, for " In später Nacht," by Friedrich Lienhard ; Rütter & Loening, Frankfurt-am-Main, for " Frühlingsritt, " by Rudolf Binding ; Georg Bondi, Berlin, for " Der Jünger," by Stefan George ; and Eugen Diedrichs Verlag, Leipzig, for poems by Agnes Miegel, Karl Bröger, and Heinrich Lersch.

Thanks are also due and are hereby tendered to Messrs. William Blackwood & Sons, Ltd., Edinburgh, for permission to use the translations by Sir Theodore Martin ; to Mr Norman Macleod for the admirable rendering of " An den Mond," taken from his *German Lyric Poetry* (The Hogarth Press) ; and to ex-President Schurman of Cornell, recently American Ambassador to Germany, for his great kindness in allowing the reproduction of his charming version of Scheffel's famous poem.

CONTENTS

PAGE

VOLKSLIEDER :
1. Wenn ich ein Vöglein wär' - - - - - 1
2. Treue Liebe - - - - - - - 1
3. Rheinischer Bundesring - - - - - 2
4. O Strassburg, o Strassburg ! - - - - 4
5. Abschied von Innsbruck - - - - - 5

MARTIN LUTHER (1483–1546) :
6. Der 46. Psalm - - - - - - - 6

MARTIN OPITZ (1597–1639) :
7. Auf Leid kommt Freud' - - - - - 7

SIMON DACH (1605–1659) :
8. Ännchen von Tharau - - - - - 9

PAULUS GERHARDT (1607–1676) :
9. Sommergesang - - - - - - - 10

PAUL FLEMING (1609–1640) :
10. Das treue Herz - - - - - - 12

JOHANN CHRISTIAN GÜNTHER (1695–1723) :
11. Studentenlied - - - - - - - 13

EWALD CHRISTIAN VON KLEIST (1715–1759) :
12. Hymne - - - - - - - - 14

CHRISTIAN FÜRCHTEGOTT GELLERT (1715–1769) :
13. Der Maler - - - - - - - 16

JOHANN WILHELM LUDWIG GLEIM (1719–1803):   PAGE
   14. An Leukon - - - - - - - 17

FRIEDRICH GOTTLIEB KLOPSTOCK (1724–1803);
   15. Das Rosenband - - - - - - - 18

MATTHIAS CLAUDIUS (1740–1815):
   16. Der Säemann säet - - - - - - 18
   17. Abendlied - - - - - - - 19

JOHANN GOTTFRID HERDER (1744–1803):
   18. Lied des Lebens - - - - - - 21

GOTTFRIED AUGUST BÜRGER (1747–1794):
   19. Lenore - - - - - - - 22

LUDWIG HÖLTY (1748–1796):
   20. Frühlingslied - - - - - - 31
   21. Aufmunterung zur Freude - - - - 32

JOHANN WOLFGANG VON GOETHE (1749–1832):
   22. Heidenröslein - - - - - - 33
   23. Das Veilchen - - - - - - 34
   24. Gefunden - - - - - - 34
   25. Glückliche Fahrt - - - - - 35
   26. Wandrers Nachtlied - - - - - 36
   27. Mailied - - - - - - 36
   28. Der König in Thule - - - - - 38
   29. Mignon - - - - - - 39
   30. Erlkönig - - - - - - 39
   31. Der Fischer - - - - - - 41
   32. Der Sänger - - - - - - 42
   33. Der wandelnde Glocke - - - - 43
   34. An den Mond - - - - - - 45
   35. Gesang der Geister über den Wassern - - 46
   36. Grenzen der Menschheit - - - - 47
   37. Der Zauberlehrling - - - - - 49

FRIEDRICH VON SCHILLER (1759–1805) :   PAGE
38. Das Mädchen aus der Fremde - - - - 53
39. Reiterlied - - - - - - - 54
40. Die Teilung der Erde - - - - - 55
41. Der Ring des Polykrates - - - - 57
42. Sehnsucht - - - - - - - 60
43. Hoffnung - - - - - - - 61
44. Poesie - - - - - - - 62
45. Aus dem " Lied von der Glocke " - - - 63
46. Schlüssel - - - - - - - 65
47. Erwartung und Erfüllung - - - - 65

ERNST MORITZ ARNDT (1769–1860) :
48. Des Deutschen Vaterland - - - - - 66

FRIEDRICH HÖLDERLIN (1770–1843) :
49. Schicksalslied - - - - - - 68

NOVALIS (1772–1801) :
50. Wenn alle untreu werden - - - - 69

AUGUST ZARNACK (1777–1827) :
51. O Tannenbaum, o Tannenbaum ! - - - 70

CLEMENS BRENTANO (1778–1842) :
52. Der Spinnerin Lied - - - - - 71

ADALBERT VON CHAMISSO (1781–1838) :
53. Das Riesenspielzeug - - - - - 72
54. Das Schloss Boncourt - - - - 74

MAX VON SCHENKENDORFF (1783–1817) :
55. Muttersprache - - - - - - 75

JUSTINUS KERNER (1786–1862) :
56. Wanderlied - - - - - - 77
57. Der reichste Fürst - - - - - 78
58. Der Wanderer in der Sägemühle - - - 79

LUDWIG UHLAND (1787–1862):   PAGE
   59. Der gute Kamerad - - - - - - 80
   60. Siegfrieds Schwert - - - - - - 81
   61. Der Wirtin Töchterlein - - - - - 82
   62. Das Schloss am Meere - - - - - 83
   63. Das Glück von Edenhall - - - - - 84
   64. Des Sängers Fluch - - - - - - 87

JOSEPH VON EICHENDORFF (1788–1857):
   65. Das zerbrochene Ringlein - - - - - 90
   66. Sehnsucht - - - - - - - 91
   67. Abschied - - - - - - - 92
   68. Auf meines Kindes Tod - - - - - 93

FRIEDRICH RÜCKERT (1788–1866):
   69. Barbarossa - - - - - - - 94
   70. Aus der Jugendzeit - - - - - - 95
   71. Aus der Weisheit der Brahmanen - - - 96
   72. Liebesfrühling - - - - - - 97

FRANZ GRILLPARZER (1791–1872):
   73. Abschied von Wien - - - - - - 98

THEODOR KÖRNER (1791–1813):
   74. Gebet während der Schlacht - - - - 99

WILHELM MÜLLER (1794–1827):
   75. Wanderschaft - - - - - - - 100
   76. Wohin ? - - - - - - - 101
   77. Vineta - - - - - - - 102

AUGUST GRAF VON PLATEN (1796–1835):
   78. Das Grab in Busento - - - - - - 103
   79. Der Pilgrim vor St. Just - - - - - 105

AUGUST HEINRICH HOFFMANN VON FALLERSLEBEN (1797–1874):
   80. Das Lied der Deutschen - - - - - 105

ANNETTE VON DROSTE-HÜLSHOFF (1797–1848):   PAGE

   81. Das Haus in der Heide - - - - - 106
   82. Gethsemane - - - - - - - 108

HEINRICH HEINE (1797–1856):

   83. Du bist wie eine Blume - - - - - 110
   84. Ein Fichtenbaum steht einsam - - - - 111
   85. Herz, mein Herz, sei nicht beklommen - - 111
   86. Die Lorelei - - - - - - - 111
   87. Aus alten Märchen winkt es - - - - 112
   88. Mein Kind, wir waren Kinder - - - - 113
   89. Die Grenadiere - - - - - - 115
   90. Die Wallfahrt nach Kevlaar - - - - 116
   91. Die Nacht am Strande - - - - - 120
   92. Sturm - - - - - - - 120

NIKOLAUS LENAU (1802–1850):

   93. Der Postillon - - - - - - - 122
   94. Die drei Zigeuner - - - - - - 124

WILHELM HAUFF (1802–1827):

   95. Reiters Morgengesang - - - - - 125

JULIUS MOSEN (1803–1867):

   96. Andreas Hofer - - - - - - - 126

EDUARD MÖRIKE (1804–1875):

   97. Schön-Rohtraut - - - - - - 128
   98. Denk es, o Seele! - - - - - 129
   99. Gesang zu zweien in der Nacht - - - 130
  100. Das verlassene Mägdlein - - - - 131

ERNST VON FEUCHTERSLEBEN (1806–1849):

  101. Nach altdeutscher Weise - - - - 132

FERDINAND FREILIGRATH (1810–1876):

  102. Der Liebe Dauer - - - - - - 133

FRIEDRICH HEBBEL (1813–1863):   PAGE
    103. Das Haus am Meer - -   135
    103A. Kinder - - -   137

EMANUEL GEIBEL (1815–1884):
    104. Der Mai ist gekommen -   138
    105. O du, vor dem die Stürme schweigen -   139

THEODOR STORM (1817–1888):
    106. Oktoberlied - -   140
    107. Die Stadt - -   141

MAX SCHNECKENBURGER (1819–1849):
    108. Die Wacht am Rhein -   141

GOTTFRIED KELLER (1819–1890):
    109. Sommernacht - -   143

THEODOR FONTANE (1819–1898):
    110. Archibald Douglas -   144

HERMANN LINGG (1820–1905):
    111. Heimkehr - -   148

MORITZ GRAF VON STRACHWITZ (1822–1847):
    112. Der gefangene Admiral -   149

CONRAD FERDINAND MEYER (1825–1898):
    113. Der Gesang des Meeres -   151
    114. In der Sistina -   152
    115. Mit zwei Worten -   153

JOSEPH VIKTOR VON SCHEFFEL (1826–1886):
    116. Alt Heidelberg, du feine -   154
    117. Es hat nicht sollen sein ! -   155
    118. Attassyrisch - -   156

HEINRICH LEUTHOLD (1827–1879):
    119. An das Meer - -   157
    120. Die deutsche Sprache - -   160

PAUL HEYSE (1830–1894):   PAGE
   121. Lied von Sorrent - ·· - - - - 161

DETLEV VON LILIENCRON (1844–1909):
   122. Krieg und Friede - - - - - - 162
   123. Legende - - - - - - - 164
   124. Begräbnis - - - - - - - 165

ERNST VON WILDENBRUCH (1845–1909):
   125. Windstille - - - - - - - - 166

PRINZ EMIL VON SCHOENAICH-CAROLATH (1852-1908):
   126. Ver sacrum - - - - - - - 167

GUSTAV FALKE (1853-1916):
   127. Der törichte Jäger - - - - - - 169

FERDINAND AVENARIUS (1856–1923):
   128. Rolands Horn - - - - - - - 171

OTTO ERNST (1862–1926):
   129. Der Ruf - - - - - - - - 172

ARNO HOLTZ (1863–1929):
   130. So einer war auch er ! - - - - - 173

RICHARD DEHMEL (1863–1920):
   131. Anno Domini 1812 - - - - - - 175
   132. Die Harfe - - - - - - - - 177
   133. Der Arbeitsmann - - - - - - 179
   134. Erntelied - - - - - - - - 179

KARL HENCKELL (1864–1929):
   135. Möwenlied - - - - - - ·· 180

RICARDA HUCH (1864–1947):
   136. Aus dem 30jährigen Kriege : Wiegenlied - - 182

OTTO JULIUS BIERBAUM (1865–1910):
   137. Oft in der stillen Nacht - - - - - 183

CONTENTS

FRIEDRICH LIENHARD (1865–1929) :   PAGE
    138. In später Nacht - - - - - - 184

RUDOLF BINDING (1867–1938) :
    139. Frühlingsritt - - - - - - - 185

STEFAN GEORGE (1868–1933) :
    140. Der Jünger - - - - - - - 186

GUSTAV SCHÜLER (1871) :
    141. Unterdessen - - - - - - - 187

HUGO VON HOFMANNSTHAL (1874–1929) :
    142. Ballade des äusseren Lebens - - - - 188

BÖRRIES FREIHERR VON MÜNCHHAUSEN (1874–1945) :
    143. Avalun - - - - - - - - 189

RICHARD VON SCHAUKAL (1874–1942) :
    144. Meiner Mutter - - - - - - - 190

RAINER MARIA RILKE (1875–1926) :
    145. Ritter - - - - - - - - 191
    146. Herbsttag - - - - - - - - 192
    147. Herbst - - - - - - - - 192

AGNES MIEGEL (1879) :
    148. Legende - - - - - - - - 193
    149. Die Nibelungen : Herrn Volkers Sang - - 194

KARL BRÖGER (1886–1944) :
    150. Weihnachtsgebet - - - - - - 195

WALTER FLEX (1887–1917) :
    151. Soldatentraum - - - - - - - 196

HEINRICH LERSCH (1889–1936) :
    152. Brüder - - - - - - - - 197

UNBEKANNTER VERFASSER :
    153. Mutter und Kind, 1914 - - - - - 198

SONETTE :   PAGE

154. Abend (*Andreas Gryphius*, 1616–64) - - - 199

155. Natur und Kunst (*Goethe*) - - - - - 200

156. Das Sonett (*August Wilhelm von Schlegel*, 1769–1845) - - - - - - - 200

157. An die Königin Luise (*Heinrich von Kleist*, 1777–1811) - - - - - - - 201

158. Aus den " Geharnischten Sonetten " (*Rückert*) - 202

159. Abschied von Leben (*Körner*) - - - - 203

160. Venedig (*Platen*) - - - - - 203

161. Grabschrift (*Platen*) - - - - - 204

162. An meine Mutter (*Heine*), i. - - - - 205

163.   ,,   ,,   ,,   ii. - - - 205

164. Nur zu ! (*Mörike*) - - - - - 206

165. Ruhe (*Alberta von Puttkamer*, 1849–1923) - - 207

166. Herbst (*Richard von Schaukal* - - - - 207

167. An Dante (*Richard von Schaukal*) - - - 208

TRANSLATIONS :

6. A Safe Stronghold our God is still (*Thomas Carlyle*) - - - - - - - 209

26. Wanderer's Night-Song (*Longfellow*) - - - 210

28. The King in Thule (*A. W. B.*) - - - - 211

29. Mignon (*A. W. B.*) - - - - - - 212

30. The Elfin-King (*Sir Theodore Martin*) - - 212

34. To the Moon (*Norman Macleod*) - - - 214

36. Limits of Humanity (*Sir Theodore Martin*) - 215

42. Longing (*Edgar Alfred Bowring*) - - - 217

43. Hope (*Edgar Alfred Bowring*) - - - - 218

59. The Good Comrade (*A. W. B.*) - - - 219

6!. The Landlady's Daughter (*Walter W. Skeat*) - 220

62. The Castle by the Sea (*Longfellow*) - - - 221

76. Whither ? (*Longfellow*) - - - - - 222

83. Just like a Tender Blossom (*A. W. B.*) - - 222

84. A Fir-tree standeth Lonely (*A. W. B.*) - - 223

TRANSLATIONS—*continued*   PAGE

  86. The Loreley (*James Thomson*) - - - - 224

  88. Childhood's Days (*Sir Theodore Martin*) - - 225

  89. The Two Grenadiers (*A. W. B.*) - - - - 226

116. Old Heidelberg (*Jacob Gould Schurman*) - - 228

134. Harvest Song (*A. W. B.*) - - - - - 229

150. A Christmas Prayer (*A. W. B.*) - - - - 229

INDEX OF FIRST LINES - - - - - - - 231

VOLKSLIEDER

1. WENN ICH EIN VÖGLEIN WÄR'

WENN ich ein Vöglein wär'
Und auch zwei Flüglein hätt',
Flög' ich zu dir ;
Weil's aber nicht kann sein,
Bleib' ich allhier.

Bin ich gleich weit von dir,
Bin ich doch im Schlaf bei dir
Und red' mit dir ;
Wenn ich erwachen tu',
Bin ich allein.

Es vergeht keine Stund' in der Nacht,
Da nicht mein Herz erwacht
Und an dich denkt,
Daß du mir viel tausendmal
Dein Herz geschenkt.

2. TREUE LIEBE

ACH, wie ist's möglich dann,
Daß ich dich lassen kann !
Hab' dich von Herzen lieb,
Das glaube mir !

Du hast die Seele mein
So ganz genommen ein
Daß ich kein'n andern lieb'
Als dich allein.

Wenn mir das Glück nicht wollt',
Daß ich dein werden sollt',
So lieb' ich dennoch dich,
Glaub's sicherlich.
Ich will zu jeder Zeit
Dir sein zu Dienst bereit,
Bis daß ich kommen werd'
Unter die Erd'.

Nach meinem Tod alsdann
Nimmst du, geliebter Mann,
An meiner Totenbahr
Die Inschrift wahr :
Hier liegt begraben drein
Die dich geliebt allein,
Die dich geliebet hat
Bis an das Grab.

3. RHEINISCHER BUNDESRING

BALD gras' ich am Neckar,
Bald gras' ich am Rhein,
Bald hab' ich ein Schätzel,
Bald bin ich allein.

Was hilft mir das Grasen,
Wann die Sichel nicht schneid't,

Was hilft mir ein Schätzel,
Wenn's bei mir nicht bleibt?

So soll ich dann grasen
Am Neckar, am Rhein,
So werf' ich mein goldiges
Ringelein hinein.

Es fließet im Neckar
Und fließet im Rhein,
Soll schwimmen hinunter
Ins tiefe Meer 'nein.

Und schwimmt es, das Ringlein,
So frißt es ein Fisch,
Das Fischlein soll kommen
Aufs Königs sein Tisch.

Der König tät fragen,
Wem's Ringlein sollt sein?
Da tät mein Schatz sagen,
Das Ringlein g'hört mein.

Mein Schätzlein tät springen
Berg auf und Berg ein,
Tat mir wiedrum bringen
Das Goldringlein fein.

Kannst grasen am Neckar,
Kannst grasen am Rhein,
Wirf du mir immer
Dein Ringlein hinein.

4. O STRASSBURG, O STRASSBURG

O STRASSBURG, o Straßburg,
Du wunderschöne Stadt !
Darinnen liegt begraben
So mannicher Soldat.

So mancher, so schöner,
Auch tapferer Soldat,
Der Vater und lieb Mutter
Böslich verlassen hat.

Verlassen, verlassen,
Es kann nicht anders sein !
Zu Straßburg, ja zu Straßburg
Soldaten müssen sein.

Der Vater, die Mutter,
Die gingen vor Hauptmanns Haus :
" Ach Hauptmann, lieber Herr Hauptmann,
Gebt mir meinen Sohn heraus ! "

" Euern Sohn kann ich nicht geben
Für noch so vieles Geld ;
Euer Sohn, der muß marschieren
Ins weit und breite Feld ;

Ins weite, ins breite,
Wohl draußen vor den Feind,
Wenn gleich sein schwarzbraun Mädchen
So bitter um ihn weint."

Sie weinet, sie greinet,
Sie klaget also sehr :
" Ade, Herzallerliebster,
Wir sehn uns nimmermehr ! "

5. ABSCHIED VON INNSBRUCK

INNSBRUCK, ich muß dich lassen,
Ich fahr' dahin mein' Straßen,
In fremde Land dahin.
Mein' Freud' ist mir genommen,
Die ich nit weiß bekommen,
Wo ich im Elend bin.

Groß Leid muß ich jetzt tragen,
Das ich allein tu klagen
Dem liebsten Buhlen mein.
Ach Lieb, nun laß mich Armen
Im Herzen dein erbarmen,
Daß ich muß dannen sein !

Mein Trost ob allen Weiben,
Dein tu ich ewig bleiben
Stät, treu, der Ehren fromm.
Nun müss' dich Gott bewahren,
In aller Tugend sparen,
Bis daß ich wieder komm' !

fahr' = wandre	bekommen = finden
Elend = Fremde	dannen = fern
müss' = möge	sparen = erhalten

MARTIN LUTHER

6. DER 46. PSALM

Ein' feste Burg ist unser Gott,
Ein' gute Wehr und Waffen;
Er hilft uns frei aus aller Not,
Die uns jetzt hat betroffen.
Der alt böse Feind
Mit Ernst er's jetzt meint;
Groß Macht und viel List
Sein' grausam Rüstung ist,
Auf Erd' ist nicht seins gleichen.

Mit unsrer Macht ist nichts getan,
Wir sind gar bald verloren:
Es streit für uns der rechte Mann,
Den Gott hat selbst erkoren.
Fragst du, wer der ist?
Er heißt Jesus Christ,
Der Herr Zebaoth,
Und ist kein andrer Gott:
Das Feld muß er behalten.

Und wenn die Welt voll Teufel wär'
Und wollt' uns gar verschlingen,
So fürchten wir uns nicht so sehr:
Es soll uns doch gelingen.
Der Fürst dieser Welt,
Wie saur er sich stellt,

Tut er uns doch nicht ;
Das macht, er ist gericht :
Ein Wörtlein kann ihn fällen.

Das Wort sie sollen lassen stahn
Und kein Dank dazu haben ;
Er ist bei uns wohl auf dem Plan
Mit seinem Geist und Gaben.
Nehmen sie den Leib,
Gut, Ehr, Kind und Weib,
Laß fahren dahin !
Sie haben's kein Gewinn :
Das Reich muß uns doch bleiben.

streit = streitet   nicht = nichts
gericht = gerichtet   stahn = stehen

MARTIN OPITZ

7. AUF LEID KOMMT FREUD'

Sei wohlgemut, laß Trauern sein,
Auf Regen folget Sonnenschein ;
Es gibet endlich doch das Glück
Nach Toben einen guten Blick.

Vor hat der rauhe Winter sich
An uns erzeiget grimmiglich,
Der ganzen Welt Revier gar tief
In einem harten Traume schlief.

vor = vorher   Revier = Bereich

Weil aber jetzt der Sonnen Licht
Mit vollem Glanz heraußer bricht
Und an dem Himmel höher steigt,
Auch alles fröhlich sich erzeigt,

So stelle du auch Trauern ein,
Mein Herz, und laß dein Zagen sein,
Vertraue Gott und glaube fest,
Daß er die Seinen nicht verläßt.

Ulysses auch, der freie Held,
Nachdem er zehn Jahr' in dem Feld
Vor Troja seine Macht versucht,
Zog noch zehn Jahr' um in der Flucht.

Durch Widerwärtigkeit im Meer
Ward er geworfen hin und her,
Noch blieb er standhaft allezeit,
In Not und Tod, in Lieb und Leid.

Er warf doch endlich von sich noch
Des rauhen Lebens schweres Joch,
Penelopen er wieder fand
Und Ithacen, sein Vaterland.

So sei du auch getrost, mein Herz,
Und übersteh des Glückes Scherz,
Trau Gott, sei nur auf ihn bedacht,
Die Hoffnung nicht zuschanden macht.

heraußer = heraus   Scherz = Laune

SIMON DACH

8. ÄNNCHEN VON THARAU

ÄNNCHEN von Tharau ist, die mir gefällt,
Sie ist mein Leben, mein Gut und mein Geld.

Ännchen von Tharau hat wieder ihr Herz
Auf mich gerichtet in Lieb' und in Schmerz.

Ännchen von Tharau, mein Reichtum, mein Gut,
Du meine Seele, mein Fleisch und mein Blut !

Käm' alles Wetter gleich auf uns zu schlahn,
Wir sind gesinnt, bei einander zu stahn ;

Krankheit, Verfolgung, Betrübnis und Pein
Soll unsrer Liebe Verknotigung sein.

Recht als ein Palmenbaum über sich steigt,
Hat ihn erst Regen und Sturmwind gebeugt,

So wird die Lieb' in uns mächtig und groß
Nach manchen Leiden und traurigem Los.

Würdest du gleich einmal von mir getrennt,
Lebtest da, wo man die Sonne kaum kennt ;

Ich will dir folgen durch Wälder, durch Meer,
Durch Eis, durch Eisen, durch feindliches Heer.

Ännchen von Tharau, mein Licht, meine Sonn',
Mein Leben schließ' ich um deines herum.

schlahn = schlagen

PAULUS GERHARDT

9. SOMMERGESANG

Geh aus, mein Herz, und suche Freud'
In dieser lieben Sommerzeit
An deines Gottes Gaben ;
Schau an der schönen Gärten Zier
Und siehe, wie sie mir und dir
Sich ausgeschmücket haben.

Die Bäume stehen voller Laub,
Das Erdreich decket seinen Staub
Mit einem grünen Kleide ;
Narzissus und die Tulipan,
Die ziehen sich viel schöner an
Denn Salomonis Seide.

Die Lerche schwingt sich in die Luft,
Das Täublein fliegt aus seiner Kluft
Und macht sich in die Wälder ;
Die hochbegabte Nachtigall
Ergötzt und füllt mit ihrem Schall
Berg, Hügel, Tal und Felder.

Die Glucke führt ihr Völklein aus,
Der Storch baut und bewohnt sein Haus,
Das Schwälblein speist ihr' Jungen ;
Der schnelle Hirsch, das leichte Reh
Ist froh und kommt aus seiner Höh'
Ins tiefe Gras gesprungen.

Die Bächlein rauschen in dem Sand
Und malen sich und ihren Rand
Mit schattenreichen Myrten.
Die Wiesen liegen hart dabei
Und klingen ganz von Lustgeschrei
Der Schaf und ihrer Hirten.

Die unverdroß'ne Bienenschar
Zeucht hin und her, sucht hier und dar
Ihr' edle Honigspeise ;
Des süßen Weinstocks starker Saft
Kriegt täglich neue Stärk' und Kraft
In seinem schwachen Reise.

Der Weizen wächset mit Gewalt,
Darüber jauchzet jung und alt
Und rühmt die große Güte
Des, der so überflüssig labt
Und mit so manchem Gut begabt
Das menschliche Gemüte.

Ich selber kann und mag nicht ruhn ;
Des großen Gottes großes Tun
Erweckt mir alle Sinnen ;
Ich singe mit, wenn alles singt,
Und lasse, was dem Höchsten klingt,
Aus meinem Herzen rinnen.

zeucht = zieht

PAUL FLEMING

10. DAS TREUE HERZ

EIN getreues Herze wissen
Hat des höchsten Schatzes Preis.
Der ist selig zu begrüßen,
Der ein treues Herze weiß.
Mir ist wohl bei höchstem Schmerze,
Denn ich weiß ein treues Herze.

Läuft das Glücke gleich zu Zeiten
Anders als man will und meint,
Ein getreues Herz hilft streiten
Wider alles, was ist feind.
Mir ist wohl bei höchstem Schmerze,
Denn ich weiß ein treues Herze.

Sein Vergnügen steht alleine
In des andern Redlichkeit,
Hält des andern Not für seine,
Weicht nicht auch bei böser Zeit.
Mir ist wohl bei höchstem Schmerze,
Denn ich weiß ein treues Herze.

Gunst, die kehrt sich nach dem Glücke,
Geld und Reichtum, das zerstäubt,
Schönheit läßt uns bald zurücke :
Ein getreues Herze bleibt.
Mir ist wohl bei höchstem Schmerze,
Denn ich weiß ein treues Herze.

12

Eins ist da sein und geschieden:
Ein getreues Herze hält,
Gibt sich allezeit zufrieden,
Steht auf, wenn es niederfällt.
Ich bin froh bei höchstem Schmerze,
Denn ich weiß ein treues Herze.

Nichts ist süßer als zwei Treue,
Wenn sie eines worden sein.
Dies ist's, des ich mich erfreue,
Und sie gibt ihr Ja auch drein.
Mir ist wohl bei höchstem Schmerze,
Denn ich weiß ein treues Herze.

worden sein = geworden sind

JOHANN CHRISTIAN GÜNTHER

11. STUDENTENLIED

BRÜDER, laßt uns lustig sein,
Weil der Frühling währet
Und der Jugend Sonnenschein
Unser Laub verkläret;
Grab und Bahre warten nicht,
Wer die Rosen jetzo bricht,
Dem ist der Kranz bescheret.

Unsers Lebens schnelle Flucht
Leidet keinen Zügel,
Und des Schicksals Eifersucht
Macht ihr stetig Flügel;

weil = so lange als

Zeit und Jahre fliehn davon,
Und vielleichte schnitzt man schon
An unsers Grabes Riegel.

Wo sind diese, sagt es mir,
Die vor wenig Jahren
Eben also, gleich wie wir,
Jung und fröhlich waren ?
Ihre Leiber deckt der Sand,
Sie sind in ein ander Land
Aus dieser Welt gefahren.

Wer nach unsern Vätern forscht,
Mag den Kirchhof fragen :
Ihr Gebein, schon längst vermorscht,
Wird ihm Antwort sagen.
Kann uns doch der Himmel bald,
Eh' die Morgenglocke schallt,
In unsre Gräber tragen.

EWALD CHRISTIAN VON KLEIST

12. HYMNE

NICHT niedre Lust, auch nicht Eroberer
Noch Gold und Schätze will ich singen.
Mein Geist soll sich dem Tand der Erde kühn ent-
    schwingen.
Der Himmel sei mein Lied ! mein Lied der Herr !

Wohin, wohin reißt mich der Andacht Glut ?
Seht ! ich entweich' auf kühnen Flügeln
Dem niedern Hochmut und der Erde finstern Hügeln,
Und trinke froh schon andrer Sonnen Glut.

Schon reizet mich die falsche Hoheit nicht.
Die Welt, die ich voll Qual befunden,
Verschwindet unter mir,—ist unter mir verschwunden,
Und mich entzückt bereits ein himmlisch Licht.

O welche Pracht ! Welch Auge siehet ganz
Die Herrlichkeit, die Ihn umgeben,
Der alles, alles füllt, vor dem die Himmel beben ?—
Den Thron des Herrn verhüllt sein eigner Glanz.

O ! welch ein Gott, der bloß durch einen Ruf
Den Menschen, der Geschöpfe Heere,
Und Felsen, Seen, Wald, der Sonnen Flammenmeere,
Das Geisterreich und tausend Welten schuf !

Unendlicher ! Doch Scharen Seraphim,
Entzückt in fröhlichem Gewimmel,
Sind ganz Gesang und Lob, und strömen durch den
          Himmel.
Ihr Saiten schweigt ; der Himmel singet Ihm !

CHRISTIAN FÜRCHTEGOTT GELLERT

13. DER MALER

Ein kluger Maler in Athen,
Der minder, weil man ihn bezahlte,
Als, weil er Ehre suchte, malte,
Ließ einen Kenner einst den Mars im Bilde sehn
Und bat sich seine Meinung aus.
Der Kenner sagt' ihm frei heraus,
Daß ihm das Bild nicht ganz gefallen wollte,
Und daß es, um recht schön zu sein,
Weit minder Kunst verraten sollte.
Der Maler wandte vieles ein ;
Der Kenner stritt mit ihm aus Gründen
Und konnt' ihn doch nicht überwinden.

Gleich trat ein junger Geck herein
Und nahm das Bild in Augenschein.
" O ! " rief er bei dem ersten Blicke,
" Ihr Götter, welch ein Meisterstücke !
Ach, welcher Fuß !   O, wie geschickt
Sind nicht die Nägel ausgedrückt !
Mars lebt durchaus in diesem Bilde.
Wie viele Kunst, wie viele Pracht
Ist in dem Helm und in dem Schilde
Und in der Rüstung angebracht ! "
Der Maler ward beschämt gerühret
Und sah den Kenner kläglich an.

" Nun," sprach er, " bin ich überführet ;
Ihr habt mir nicht zuviel getan."
Der junge Geck war kaum hinaus,
So strich er seinen Kriegsgott aus.

Wenn deine Schrift dem Kenner nicht gefällt,
So ist es schon ein böses Zeichen ;
Doch wenn sie gar des Narren Lob erhält,
So ist es Zeit, sie auszustreichen.

JOHANN WILHELM LUDWIG GLEIM

14. AN LEUKON

Rosen pflücke, Rosen blühn,
Morgen ist nicht heut !
Keine Stunde laß entfliehn,
Flüchtig ist die Zeit !

Trinke, küsse !   Sieh, es ist
Heut Gelegenheit ;
Weißt du, wo du morgen bist ?
Flüchtig ist die Zeit !

Aufschub einer guten Tat
Hat schon oft gereut—
Hurtig leben ist mein Rat,
Flüchtig ist die Zeit !

FRIEDRICH GOTTLIEB KLOPSTOCK

15. DAS ROSENBAND

Im Frühlingschatten fand ich sie,
Da band ich sie mit Rosenbändern :
Sie fühlt' es nicht und schlummerte.

Ich sah sie an ; mein Leben hing
Mit diesem Blick an ihrem Leben :
Ich fühlt' es wohl und wußt' es nicht.

Doch lispelt' ich ihr sprachlos zu
Und rauschte mit den Rosenbändern :
Da wachte sie vom Schlummer auf.

Sie sah mich an ; ihr Leben hing
Mit diesem Blick an meinem Leben,
Und um uns ward's Elysium.

MATTHIAS CLAUDIUS

16. DER SÄEMANN SÄET

Der Säemann säet den Samen,
Die Erd' empfängt ihn, und über ein kleines
Keimet die Blume herauf.

Du liebtest sie.   Was auch dies Leben
Sonst für Gewinn hat, war klein dir geachtet,
Und sie entschlummerte dir.

Was weinest du neben dem Grabe
Und hebst die Hände zur Wolke des Todes
Und der Verwesung empor ?

Wie Gras auf dem Felde sind Menschen
Dahin, wie Blätter ; nur wenige Tage
Gehn wir verkleidet einher.

Der Adler besuchet die Erde,
Doch säumt nicht, schüttelt von Flügel den Staub und
Kehret zur Sonne zurück.

17. ABENDLIED

DER Mond ist aufgegangen,
Die goldnen Sternlein prangen
Um Himmel hell und klar ;
Der Wald steht schwarz und schweiget,
Und aus den Wiesen steiget
Der weiße Nebel wunderbar.

Wie ist die Welt so stille
Und in der Dämmrung Hülle
So traulich und so hold
Als eine stille Kammer,
Wo ihr des Tages Jammer
Verschlafen und vergessen sollt !

Seht ihr den Mond dort stehen ?
Er ist nur halb zu sehen
Und ist doch rund und schön.

So sind wohl manche Sachen,
Die wir getrost belachen,
Weil unsre Augen sie nicht sehn.

Wir stolzen Menschenkinder
Sind eitel arme Sünder
Und wissen gar nicht viel;
Wir spinnen Luftgespinste
Und suchen viele Künste
Und kommen weiter von dem Ziel.

Gott, laß uns dein Heil schauen,
Auf nichts Vergänglich's trauen,
Nicht Eitelkeit uns freun!
Laß uns einfältig werden
Und vor dir hier auf Erden
Wie Kinder fromm und fröhlich sein!

Wollst endlich sonder Grämen
Aus dieser Welt uns nehmen
Durch einen sanften Tod!
Und, wenn du uns genommen,
Laß uns in Himmel kommen,
Du, unser Herr und unser Gott!

So legt euch denn, ihr Brüder,
In Gottes Namen nieder!
Kalt ist der Abendhauch.
Verschon' uns, Gott, mit Strafen
Und laß uns ruhig schlafen
Und unsern kranken Nachbar auch!

getrost = gedankenlos

JOHANN GOTTFRIED HERDER

18. LIED DES LEBENS

FLÜCHTIGER als Wind und Welle
Flieht die Zeit ; was hält sie auf ?
Sie genießen auf der Stelle,
Sie ergreifen schnell im Lauf ;
Das, ihr Brüder, hält ihr Schweben,
Hält die Flucht der Tage ein.
Schneller Gang ist unser Leben,
Laßt uns Rosen auf ihn streun !

Rosen, denn die Tage sinken
In des Winters Nebelmeer ;
Rosen, denn sie blühn und blinken
Links und rechts noch um uns her.
Rosen stehn auf jedem Zweige
Jeder schönen Jugendtat.
Wohl ihm, der bis auf die Neige
Rein gelebt sein Leben hat !

Tage, werdet uns zum Kranze,
Der des Greises Schläf' umzieht
Und um sie in frischem Glanze
Wie ein Traum der Jugend blüht !
Auch die dunklen Blumen kühlen
Uns mit Ruhe, doppelt süß,
Und die lauen Lüfte spielen
Freundlich uns ins Paradies.

GOTTFRIED AUGUST BÜRGER

19. LENORE

LENORE fuhr ums Morgenrot
Empor aus schweren Träumen :
" Bist untreu, Wilhelm, oder tot ?
Wie lange willst du säumen ? " —
Er war mit König Friedrichs Macht
Gezogen in die Prager Schlacht,
Und hatte nicht geschrieben,
Ob er gesund geblieben.

Der König und die Kaiserin,
Des langen Haders müde,
Erweichten ihren harten Sinn
Und machten endlich Friede ;
Und jedes Heer, mit Sing und Sang,
Mit Paukenschlag und Kling und Klang,
Geschmückt mit grünen Reisern,
Zog heim zu seinen Häusern.

Und überall, allüberall,
Auf Wegen und auf Stegen,
Zog alt und jung dem Jubelschall
Der Kommenden entgegen.
" Gottlob ! " rief Kind und Gattin laut,
" Willkommen ! " manche frohe Braut.
Ach ! aber für Lenoren
War Gruß und Kuß verloren.

Sie frug den Zug wohl auf und ab
Und frug nach allen Namen ;
Doch keiner war, der Kundschaft gab,
Von allen, so da kamen.
Als nun das Heer vorüber war,
Zerraufte sie ihr Rabenhaar
Und warf sich hin zur Erde
Mit wütiger Gebärde.

Die Mutter lief wohl hin zu ihr :
" Ach, daß sich Gott erbarme !
Du trautes Kind, was ist mit dir ? "
Und schloß sie in die Arme.—
" O Mutter, Mutter ! hin ist hin !
Nun fahre Welt und alles hin !
Bei Gott ist kein Erbarmen.
O weh, o weh mir Armen ! " —

" Hilf, Gott, hilf ! Sieh uns gnädig an !
Kind, bet' ein Vaterunser !
Was Gott tut, das ist wohlgetan.
Gott, Gott erbarmt sich unser ! " —
" O Mutter, Mutter ! Eitler Wahn !
Gott hat an mir nicht wohlgetan !
Was half, was half mein Beten ?
Nun ist's nicht mehr vonnöten." —

Hilf, Gott, hilf ! Wer den Vater kennt,
Der weiß, er hilft den Kindern.
Das hochgelobte Sakrament
Wird deinen Jammer lindern." —

" O Mutter, Mutter ! was mich brennt,
Das lindert mir kein Sakrament !
Kein Sakrament mag Leben
Den Toten wiedergeben."—

" Hör', Kind ! Wie, wenn der falsche Mann
Im fernen Ungarlande
Sich seines Glaubens abgetan
Zum neuen Ehebande ?
Laß fahren, Kind, sein Herz dahin !
Er hat es nimmermehr Gewinn !
Wann Seel' und Leib sich trennen,
Wird ihn sein Meineid brennen." —

" O Mutter, Mutter ! Hin ist hin !
Verloren ist verloren !
Der Tod, der Tod is mein Gewinn !
O wär' ich nie geboren !
Lisch aus, mein Licht, auf ewig aus
Stirb hin, stirb hin in Nacht und Graus \
Bei Gott ist kein Erbarmen :
O weh, o weh mir Armen ! " —

" Hilf, Gott, hilf ! Geh nicht ins Gericht
Mit deinem armen Kinde !
Sie weiß nicht, was die Zunge spricht ;
Behalt ihr nicht die Sünde !
Ach, Kind, vergiß dein irdisch Leid
Und denk an Gott und Seligkeit !
So wird doch deiner Seelen
Der Bräutigam nicht fehlen." —

" O Mutter ! was ist Seligkeit ?
O Mutter ! was ist Hölle ?
Bei ihm, bei ihm ist Seligkeit
Und ohne Wilhelm Hölle !
Lisch aus, mein Licht, auf ewig aus !
Stirb hin, stirb hin in Nacht und Graus !
Ohn' ihn mag ich auf Erden,
Mag dort nicht selig werden."

So wütete Verzweifelung
Ihr in Gehirn und Adern.
Sie fuhr mit Gottes Vorsehung
Vermessen fort zu hadern ;
Zerschlug den Busen und zerrang
Die Hand bis Sonnenuntergang,
Bis auf am Himmelsbogen
Die goldnen Sterne zogen.

Und außen, horch ! ging's trapp, trapp, trapp,
Als wie von Rosses Hufen,
Und klirrend stieg ein Reiter ab
An des Geländers Stufen ;
Und horch ! und horch ! den Pfortenring
Ganz lose, leise, klinglingling !
Dann kamen durch die Pforte
Vernehmlich diese Worte :

" Holla, Holla ! Tu' auf, mein Kind !
Schläfst, Liebchen, oder wachst du ?
Wie bist noch gegen mich gesinnt ?
Und weinest oder lachst du ? "—

" Ach, Wilhelm, du ? . . . So spät bei Nacht ? . . .
Geweinet hab' ich und gewacht ;
Ach, großes Leid erlitten !
Wo kommst du hergeritten ? " —

" Wir satteln nur um Mitternacht.
Weit ritt ich her von Böhmen.
Ich habe spät mich aufgemacht
Und will dich mit mir nehmen." —
" Ach, Wilhelm, erst herein geschwind !
Den Hagedorn durchsaust der Wind,
Herein, in meinen Armen,
Herzliebster, zu erwarmen ! " —

" Laß sausen durch den Hagedorn,
Laß sausen, Kind, laß sausen !
Der Rappe scharrt ; es klirrt der Sporn.
Ich darf allhier nicht hausen.
Komm, schürze, spring und schwinge dich
Auf meinen Rappen hinter mich !
Muß heut noch hundert Meilen
Mit dir ins Brautbett eilen." —

" Ach ! wolltest hundert Meilen noch
Mich heut ins Brautbett tragen ?
Und horch ! es brummt die Glocke noch,
Die elf schon angeschlagen."—
" Sieh hin, sieh her ! der Mond scheint hell.
Wir und die Toten reiten schnell.
Ich bringe dich, zur Wette,
Noch heut ins Hochzeitsbette." —

" Sag an, wo ist dein Kämmerlein ?
Wo ? wie dein Hochzeitsbettchen ? " —
" Weit, weit von hier . . . Still, kühl und klein ! . . .
Sechs Bretter und zwei Brettchen ! " —
" Hat's Raum für mich ? " — " Für dich und mich !
Komm, schürze, spring und schwinge dich !
Die Hochzeitsgäste hoffen ;
Die Kammer steht uns offen."

Schön Liebchen schürzte, sprang und schwang
Sich auf das Roß behende ;
Wohl um den trauten Reiter schlang
Sie ihre Lilienhände ;
Und hurre, hurre, hopp, hopp, hopp !
Ging's fort in sausendem Galopp,
Daß Roß und Reiter schnoben
Und Kies und Funken stoben.

Zur rechten und zur linken Hand,
Vorbei vor ihren Blicken,
Wie flogen Anger, Heid' und Land !
Wie donnerten die Brücken ! —
" Graut Liebchen auch ? . . . Der Mond scheint hell !
Hurra ! die Toten reiten schnell !
Graut Liebchen auch vor Toten ? " —
" Ach nein ! . . . Doch laß die Toten ! "

Was klang dort für Gesang und Klang ?
Was flatterten die Raben ?
Horch Glockenklang ! horch Totensang !
" Laßt uns den Leib begraben ! "

Und näher zog ein Leichenzug,
Der Sarg und Totenbahre trug.
Das Lied war zu vergleichen
Dem Unkenruf in Teichen.

" Nach Mitternacht begrabt den Leib
Mit Klang und Sang und Klage !
Jetzt führ' ich heim mein junges Weib ;
Mit, mit zum Brautgelage !
Komm, Küster, hier !   Komm mit dem Chor
Und gurgle mir das Brautlied vor !
Komm, Pfaff, und sprich den Segen,
Eh' wir zu Bett uns legen ! "

Still Klang und Sang . . . Die Bahre schwand . . .
Gehorsam seinem Rufen,
Kam's hurre, hurre ! nachgerannt,
Hart hinter's Rappen Hufen.
Und immer weiter, hopp, hopp, hopp !
Ging's fort in sausendem Galopp,
Daß Roß und Reiter schnoben
Und Kies und Funken stoben.

Wie flogen rechts, wie flogen links
Gebirge, Bäum' und Hecken !
Wie flogen links und rechts und links
Die Dörfer, Städt' und Flecken !
" Graut Liebchen auch ? . . . Der Mond scheint hell !
Hurra ! die Toten reiten schnell !
Graut Liebchen auch vor Toten ? " —
" Ach ! Laß sie ruhn, die Toten."

Sieh da ! sieh da !   Am Hochgericht
Tanz' um des Rades Spindel,
Halb sichtbarlich bei Mondenlicht
Ein luftiges Gesindel.
" Sasa !   Gesindel, hier !   Komm hier !
Gesindel, komm und folge mir !
Tanz' uns den Hochzeitsreigen,
Wann wir zu Bette steigen ! "

Und das Gesindel, husch, husch, husch !
Kam hinten nachgeprasselt,
Wie Wirbelwind am Haselbusch
Durch dürre Blätter rasselt.
Und weiter, weiter, hopp, hopp, hopp !
Ging's fort in sausendem Galopp,
Daß Roß und Reiter schnoben
Und Kies und Funken stoben.

Wie flog, was rund der Mond beschien,
Wie flog es in die Ferne !
Wie flogen oben überhin
Der Himmel und die Sterne !
" Graut Liebchen auch ? . . . Der Mond scheint hell !
Hurra ! die Toten reiten schnell !
Graut Liebchen auch vor Toten ! " —
" O weh ! Laß ruhn die Toten ! " —

" Rapp' ! Rapp' ! Mich dünkt, der Hahn schon ruft . . .
Bald wird der Sand verrinnen . . .
Rapp' ! Rapp' ! Ich wittre Morgenluft . . .
Rapp' !   Tummle dich von hinnen !

B.G.P.

Vollbracht, vollbracht is unser Lauf !
Das Hochzeitsbette tut sich auf !
Die Toten reiten schnelle !
Wir sind, wir sind zur Stelle ! "

Rasch auf ein eisern Gittertor
Ging's mit verhängtem Zügel ;
Mit schwanker Gert' ein Schlag davor
Zersprengte Schloß und Riegel.
Die Flügel flogen klirrend auf,
Und über Gräber ging der Lauf ;
Es blinkten Leichensteine
Rundum im Mondenscheine.

Ha sieh ! Ha sieh ! im Augenblick,
Huhu ! ein gräßlich Wunder !
Des Reiters Koller, Stück für Stück,
Fiel ab wie mürber Zunder.
Zum Schädel ohne Zopf und Schopf,
Zum nackten Schädel ward sein Kopf,
Sein Körper zum Gerippe
Mit Stundenglas und Hippe.

Hoch bäumte sich, wild schnob der Rapp'
Und sprühte Feuerfunken ;
Und hui ! war's unter ihr hinab
Verschwunden und versunken.
Geheul ! Geheul aus hoher Luft,
Gewinsel kam aus tiefer Gruft.
Lenores Herz mit Beben
Rang zwischen Tod und Leben.

Nun tanzten wohl bei Mondenglanz
Rundum herum im Kreise
Die Geister einen Kettentanz
Und heulten diese Weise :
" Geduld ! Geduld ! Wenn's Herz auch bricht !
Mitt Gott im Himmel hadre nicht !
Des Leibes bist du ledig ;
Gott sei der Seele gnädig ! "

LUDWIG HÖLTY

20. FRÜHLINGSLIED

Die Luft ist blau, das Tal ist grün,
Die kleinen Maienglocken blühn,
Und Schlüsselblumen drunter ;
Der Wiesengrund
Ist schon so bunt
Und malt sich täglich bunter.

Drum komme wem der Mai gefällt,
Und schaue froh die schöne Welt
Und Gottes Vatergüte,
Die solche Pracht
Hervorgebracht,
Den Baum und seine Blüte.

21. AUFMUNTERUNG ZUR FREUDE

Wer wollte sich mit Grillen plagen,
So lang uns Lenz und Hoffnung blühn ?
Wer wollt' in seinen Blütentagen
Die Stirn in düstre Falten ziehn ?

Die Freude winkt auf allen Wegen,
Die durch dies Pilgerleben gehn ;
Sie bringt uns selbst den Kranz entgegen,
Wenn wir am Scheidewege stehn.

Noch rinnt und rauscht die Wiesenquelle,
Noch ist die Laube kühl und grün ;
Noch scheint der liebe Mond so helle,
Wie er durch Adams Bäume schien.

Noch macht der Saft der Purpurtraube
Des Menschen krankes Herz gesund ;
Noch schmecket in der Abendlaube
Der Kuß auf einen roten Mund.

Noch tönt der Busch voll Nachtigallen
Dem Jüngling süße Fühlung zu ;
Noch strömt, wenn ihre Lieder schallen,
Selbst in zerrißne Seelen Ruh' !

O wunderschön ist Gottes Erde
Und wert, darauf vergnügt zu sein !
Drum will ich, bis ich Asche werde,
Mich dieser schönen Erde freun !

JOHANN WOLFGANG VON GOETHE

22. HEIDENRÖSLEIN

Sah ein Knab' ein Röslein stehn,
Röslein auf der Heiden ;
War so jung und morgenschön,
Lief er schnell, es nah zu sehn,
Sah's mit vielen Freuden.
Röslein, Röslein, Röslein rot,
Röslein auf der Heiden.

Knabe sprach : " Ich breche dich,
Röslein auf der Heiden ! "
Röslein sprach : " Ich steche dich,
Daß du ewig denkst an mich,
Und ich will's nicht leiden."
Röslein, Röslein, Röslein rot,
Röslein auf der Heiden.

Und der wilde Knabe brach
's Röslein auf der Heiden ;
Röslein wehrte sich und stach,
Half ihm doch kein Weh und Ach,
Mußt' es eben leiden.
Röslein, Röslein, Röslein rot,
Röslein auf der Heiden.

23. DAS VEILCHEN

Ein Veilchen auf der Wiese stand
Gebückt in sich und unbekannt ;
Es war ein herzig's Veilchen.
Da kam eine junge Schäferin
Mit leichtem Schritt und munterm Sinn
Daher, daher,
Die Wiese her und sang.

Ach ! denkt das Veilchen, wär' ich nur
Die schönste Blume der Natur,
Ach ! nur ein kleines Weilchen,
Bis mich das Liebchen abgepflückt
Und an dem Busen matt gedrückt !
Ach nur, ach nur
Ein Viertelstündchen lang !

Ach ! aber ach ! das Mädchen kam
Und nicht in Acht das Veilchen nahm,
Ertrat das arme Veilchen.
Es sank und starb und freut' sich noch :
" Und sterb' ich denn, so sterb' ich doch
Durch sie, durch sie,
Zu ihren Füßen doch."

24. GEFUNDEN

Ich ging im Walde
So für mich hin,
Und nichts zu suchen,
Das war mein Sinn.

Im Schatten sah ich
Ein Blümchen stehn,
Wie Sterne leuchtend,
Wie Äuglein schön.

Ich wollt' es brechen,
Da sagt' es fein :
" Soll ich zum Welken
Gebrochen sein ? "

Ich grub's mit allen
Den Würzlein aus,
Zum Garten trug ich's
Am hübschen Haus

Und pflanzt' es wieder
Am stillen Ort ;
Nun zweigt es immer
Und blüht so fort.

25. GLÜCKLICHE FAHRT

Die Nebel zerreißen,
Der Himmel ist helle,
Und Äolus löset
Das ängstliche Band.
Es säuseln die Winde,
Es rührt sich der Schiffer.
Geschwinde !   Geschwinde !
Es teilt sich die Welle,
Es naht sich die Ferne ;
Schon seh' ich das Land.

26. WANDRERS NACHTLIED

Über allen Gipfeln
Ist Ruh',
In allen Wipfeln
Spürest du
Kaum einen Hauch ;
Die Vögelein schweigen im Walde.
Warte nur, balde
Ruhest du auch.

27. MAILIED

Wie herrlich leuchtet
Mir die Natur !
Wie glänzt die Sonne !
Wie lacht die Flur !

Es dringen Blüten
Aus jedem Zweig
Und tausend Stimmen
Aus dem Gesträuch,

Und Freud' und Wonne
Aus jeder Brust.
O Erd', o Sonne !
O Glück, o Lust !

O Lieb', o Liebe !
So golden schön,
Wie Morgenwolken
Auf jenen Höhn !

Du segnest herrlich
Das frische Feld,
Im Blütendampfe
Die volle Welt.

O Mädchen, Mädchen,
Wie lieb' ich dich !
Wie blinkt dein Auge !
Wie liebst du mich !

So liebt die Lerche
Gesang und Luft,
Und Morgenblumen
Den Himmelsduft,

Wie ich dich liebe
Mit warmem Blut,
Die du mir Jugend
Und Freud' und Mut

Zu neuen Liedern
Und Tänzen gibst.
Sei ewig glücklich,
Wie du mich liebst !

28. DER KÖNIG IN THULE

Es war ein König in Thule,
Gar treu bis an das Grab,
Dem sterbend seine Buhle
Einen goldnen Becher gab.

Es ging ihm nichts darüber,
Er leert' ihn jeden Schmaus ;
Die Augen gingen ihm über,
So oft er trank daraus.

Und als er kam zu sterben,
Zählt' er seine Städt' im Reich,
Gönnt' alles seinem Erben,
Den Becher nicht zugleich.

Er saß beim Königsmahle,
Die Ritter um ihn her,
Auf hohem Vätersaale
Dort auf dem Schloß am Meer.

Dort stand der alte Zecher,
Trank letzte Lebensglut,
Und warf den heil'gen Becher
Hinunter in die Flut.

Er sah ihn stürzen, trinken
Und sinken tief ins Meer.
Die Augen täten ihm sinken ;
Trank nie einen Tropfen mehr.

täten sinken = sanken

29. MIGNON

KENNST du das Land, wo die Zitronen blühn,
Im dunkeln Laub die Goldorangen glühn,
Ein sanfter Wind vom blauen Himmel weht,
Die Myrte still und hoch der Lorbeer steht ?
Kennst du es wohl ?
            Dahin ! Dahin
Möcht' ich mit dir, o mein Geliebter, ziehn.

Kennst du das Haus ?   Auf Säulen ruht sein Dach,
Es glänzt der Saal, es schimmert das Gemach,
Und Marmorbilder stehn und sehn mich an :
Was hat man dir, du armes Kind, getan ?
Kennst du es wohl ?
            Dahin ! Dahin
Möcht' ich mit dir, o mein Beschützer, ziehn.

Kennst du den Berg und seinen Wolkensteg ?
Das Maultier sucht im Nebel seinen Weg ;
In Höhlen wohnt der Drachen alte Brut ;
Es stürzt der Fels und über ihn die Flut.
Kennst du ihn wohl ?
            Dahin ! Dahin
Geht unser Weg ! o Vater, laß uns ziehn !

30. ERLKÖNIG

WER reitet so spät durch Nacht und Wind ?
Es ist der Vater mit seinem Kind ;
Er hat den Knaben wohl in dem Arm,
Er faßt ihn sicher, er hält ihn warm.

" Mein Sohn, was birgst du so bang dein Gesicht ? "
" Siehst, Vater, du den Erlkönig nicht ?
Den Erlenkönig mit Kron' und Schweif ? "
" Mein Sohn, es ist ein Nebelstreif." —

" Du liebes Kind, komm, geh mit mir !
Gar schöne Spiele spiel' ich mit dir ;
Manch bunte Blumen sind an dem Strand ;
Meine Mutter hat manch gülden Gewand." —

" Mein Vater, mein Vater, und hörest du nicht,
Was Erlenkönig mir leise verspricht ? "
" Sei ruhig, bleibe ruhig, mein Kind ;
In dürren Blättern säuselt der Wind." —

" Willst, feiner Knabe, du mit mir gehn ?
Meine Töchter sollen dich warten schön ;
Meine Töchter führen den nächtlichen Reihn
Und wiegen und tanzen und singen dich ein." —

" Mein Vater, mein Vater, und siehst du nicht dort
Erlkönigs Töchter am düstern Ort ? "
" Mein Sohn, mein Sohn, ich seh' es genau :
Es scheinen die alten Weiden so grau." —

" Ich liebe dich, mich reizt deine schöne Gestalt ;
Und bist du nicht willig, so brauch' ich Gewalt." —
" Mein Vater, mein Vater, jetzt faßt er mich an !
Erlkönig hat mir ein Leids getan ! "

Dem Vater grauset's, er reitet geschwind,
Er hält in Armen das ächzende Kind,
Erreicht den Hof mit Mühe und Not ;
In seinen Armen das Kind war tot.

31. DER FISCHER

Das Wasser rauscht', das Wasser schwoll,
Ein Fischer saß daran,
Sah nach dem Angel ruhevoll,
Kühl bis ans Herz hinan.
Und wie er sitzt und wie er lauscht,
Teilt sich die Flut empor ;
Aus dem bewegten Wasser rauscht
Ein feuchtes Weib hervor.

Sie sang zu ihm, sie sprach zu ihm :
"Was lockst du meine Brut
Mit Menschenwitz und Menschenlist
Hinauf in Todesglut ?
Ach, wüßtest du, wie's Fischlein ist
So wohlig auf dem Grund,
Du stiegst herunter, wie du bist,
Und würdest erst gesund.

"Labt sich die liebe Sonne nicht,
Der Mond sich nicht im Meer ?
Kehrt wellenatmend ihr Gesicht
Nicht doppelt schöner her ?
Lockt dich der tiefe Himmel nicht,
Das feuchtverklärte Blau ?
Lockt dich dein eigen Angesicht
Nicht her in ew'gen Tau ? "

Das Wasser rauscht', das Wasser schwoll,
Netzt' ihm den nackten Fuß ;
Sein Herz wuchs ihm so sehnsuchtsvoll
Wie bei der Liebsten Gruß.
Sie sprach zu ihm, sie sang zu ihm ;
Da war's um ihn geschehn :
Halb zog sie ihn, halb sank er hin,
Und ward nicht mehr gesehn.

32. DER SÄNGER

" Was hör' ich draußen vor dem Tor,
Was auf der Brücke schallen ?
Laß den Gesang vor unserm Ohr
Im Saale widerhallen ! "
Der König sprach's, der Page lief ;
Der Knabe kam, der König rief :
" Laßt mir herein den Alten ! "

" Gegrüßet seid mir, edle Herrn,
Gegrüßt ihr, schöne Damen !
Welch reicher Himmel !   Stern bei Stern !
Wer kennet ihre Namen ?
Im Saal voll Pracht und Herrlichkeit
Schließt, Augen, euch ! hier ist nicht Zeit,
Sich staunend zu ergötzen."

Der Sänger drückt' die Augen ein
Und schlug in vollen Tönen ;
Die Ritter schauten mutig drein,
Und in den Schoß die Schönen.

Der König, dem das Lied gefiel,
Ließ, ihn zu ehren für sein Spiel,
Eine goldne Kette holen.

" Die goldne Kette gib mir nicht,
Die Kette gib den Rittern,
Vor deren kühnem Angesicht
Der Feinde Lanzen splittern ;
Gib sie dem Kanzler, den du hast,
Und laß ihn noch die goldne Last
Zu andern Lasten tragen !

" Ich singe, wie der Vogel singt,
Der in den Zweigen wohnet ;
Das Lied, das aus der Kehle dringt,
Ist Lohn, der reichlich lohnet.
Doch darf ich bitten, bitt' ich eins :
Laß mir den besten Becher Weins
In purem Golde reichen."

Er setzt' ihn an, er trank ihn aus :
" O Trank voll süßer Labe !
O wohl dem hochbeglückten Haus,
Wo das ist kleine Gabe !
Ergeht's euch wohl, so denkt an mich,
Und danket Gott so warm, als ich
Für diesen Trunk euch danke."

33. DIE WANDELNDE GLOCKE

Es war ein Kind, das wollte nie
Zur Kirche sich bequemen,

Und Sonntags fand es stets ein Wie,
Den Weg ins Feld zu nehmen.

Die Mutter sprach : Die Glocke tönt,
Und so ist dir's befohlen,
Und hast du dich nicht hingewöhnt,
Sie kommt und wird dich holen.

Das Kind, es denkt : Die Glocke hängt
Da droben auf dem Stuhle.
Schon hat's den Weg ins Feld gelenkt,
Als lief' es aus der Schule.

Die Glocke Glocke tönt nicht mehr,
Die Mutter hat gefackelt.
Doch welch ein Schrecken hinterher !
Die Glocke kommt gewackelt.

Sie wackelt schnell, man glaubt es kaum ;
Das arme Kind im Schrecken
Es lauft, es kommt, als wie im Traum ;
Die Glocke wird es decken.

Doch nimmt es richtig seinen Husch,
Und mit gewandter Schnelle
Eilt es durch Anger, Feld und Busch
Zur Kirche, zur Kapelle.

Und jeden Sonn- und Feiertag
Gedenkt es an den Schaden,
Läßt durch den ersten Glockenschlag,
Nicht in Person sich laden.

Stuhl = Glockenstuhl

34. AN DEN MOND

FÜLLEST wieder Busch und Tal
Still mit Nebelglanz,
Lösest endlich auch einmal
Meine Seele ganz ;

Breitest über mein Gefild
Lindernd deinen Blick,
Wie des Freundes Auge mild
Über mein Geschick.

Jeden Nachklang fühlt mein Herz
Froh- und trüber Zeit,
Wandle zwischen Freud' und Schmerz
In der Einsamkeit.

Fließe, fließe, lieber Fluß !
Nimmer werd' ich froh ;
So verrauschte Scherz und Kuß,
Und die Treue so.

Ich besaß es doch einmal,
Was so köstlich ist !
Daß man doch zu seiner Qual
Nimmer es vergißt !

Rausche, Fluß, das Tal entlang,
Ohne Rast und Ruh',
Rausche, flüstre meinem Sang
Melodien zu,

Wenn du in der Winternacht
Wütend überschwillst,
Oder um die Frühlingspracht
Junger Knospen quillst.

Selig, wer sich vor der Welt
Ohne Haß verschließt,
Einen Freund am Busen hält
Und mit dem genießt,

Was, von Menschen nicht gewußt
Oder nicht bedacht,
Durch das Labyrinth der Brust
Wandelt in der Nacht.

35. GESANG DER GEISTER ÜBER DEN WASSERN

Des Menschen Seele
Gleicht dem Wasser:
Vom Himmel kommt es,
Zum Himmel steigt es,
Und wieder nieder
Zur Erde muß es,
Ewig wechselnd.

Strömt von der hohen,
Steilen Felswand
Der reine Strahl,
Dann stäubt er lieblich
In Wolkenwellen

Zum glatten Fels,
Und leicht empfangen,
Wallt er verschleiernd,
Leisrauschend
Zur Tiefe nieder.

Ragen Klippen
Dem Sturz entgegen,
Schäumt er unmutig
Stufenweise
Zum Abgrund.

Im flachen Bette
Schleicht er das Wiesental hin,
Und in dem glatten See
Weiden ihr Antlitz
Alle Gestirne.

Wind ist der Welle
Lieblicher Buhler ;
Wind mischt von Grund aus
Schäumende Wogen.

Seele des Menschen,
Wie gleichst du dem Wasser !
Schicksal des Menschen,
Wie gleichst du dem Wind !

36. GRENZEN DER MENSCHHEIT

WENN der uralte
Heilige Vater
Mit gelassener Hand

Aus rollenden Wolken
Segnende Blitze
Über die Erde sät,
Küss' ich den letzten
Saum seines Kleides,
Kindliche Schauer
Treu in der Brust.

Denn mit Göttern
Soll sich nicht messen
Irgend ein Mensch.
Hebt er sich aufwärts
Und berührt
Mit dem Scheitel die Sterne,
Nirgends haften dann
Die unsichern Sohlen,
Und mit ihm spielen
Wolken und Winde.

Steht er mit festen,
Markigen Knochen
Auf der wohlgegründeten,
Dauernden Erde ;
Reicht er nicht auf,
Nur mit der Eiche
Oder der Rebe
Sich zu vergleichen.

Was unterscheidet
Götter von Menschen ?
Daß viele Wellen
Vor jenen wandeln,

Ein ewiger Strom :
Uns hebt die Welle,
Verschlingt die Welle,
Und wir versinken.

Ein kleiner Ring
Begrenzt unser Leben,
Und viele Geschlechter
Reihen sich dauernd
An ihres Daseins
Unendliche Kette.

37. DER ZAUBERLEHRLING

HAT der alte Hexenmeister
Sich doch einmal wegbegeben !
Und nun sollen seine Geister
Auch nach meinem Willen leben.
Seine Wort' und Werke
Merkt' ich und den Brauch,
Und mit Geistesstärke
Tu' ich Wunder auch.

Walle ! walle
Manche Strecke,
Daß zum Zwecke
Wasser fließe
Und mit reichem vollem Schwalle
Zu dem Bade sich ergieße.

Und nun komm, du alter Besen !
Nimm die schlechten Lumpenhüllen !
Bist schon lange Knecht gewesen ;
Nun erfülle meinen Willen !
Auf zwei Beinen stehe,
Oben sei ein Kopf ;
Eile nun und gehe
Mit dem Wassertopf !

Walle ! walle
Manche Strecke,
Daß zum Zwecke
Wasser fließe
Und mit reichem vollem Schwalle
Zu dem Bade sich ergieße.

Seht, er läuft zum Ufer nieder ;
Wahrlich ! ist schon an dem Flusse,
Und mit Blitzesschnelle wieder
Ist er hier mit raschem Gusse.
Schon zum zweitenmale !
Wie das Becken schwillt !
Wie sich jede Schale
Voll mit Wasser füllt !

Stehe ! stehe !
Denn wir haben
Deiner Gaben
Vollgemessen ! —
Ach, ich merk' es ! Wehe ! Wehe !
Hab' ich doch das Wort vergessen !

Ach, das Wort, worauf am Ende
Er das wird, was er gewesen.
Ach, er läuft und bringt behende !
Wärst du doch der alte Besen !
Immer neue Güsse
Bringt er schnell herein,
Ach ! und hundert Flüsse
Stürzen auf mich ein.

   Nein, nicht länger
   Kann ich's lassen ;
   Will ihn fassen.
   Das ist Tücke !
   Ach ! nun wird mir immer bänger !
   Welche Miene, welche Blicke !

O, du Ausgeburt der Hölle !
Soll das ganze Haus ersaufen ?
Seh' ich über jede Schwelle
Doch schon Wasserströme laufen.
Ein verruchter Besen,
Der nicht hören will !
Stock, der du gewesen,
Steh doch wieder still !

   Willst's am Ende
   Gar nicht lassen ?
   Will dich fassen,
   Will dich halten,
   Und das alte Holz behende
   Mit dem scharfen Beile spalten.

Seht, da kommt er schleppend wieder !
Wie ich mich nur auf dich werfe,
Gleich, o Kobold, liegst du nieder ;
Krachend trifft die glatte Schärfe.
Wahrlich ! brav getroffen !
Seht, er ist entzwei !
Und nun kann ich hoffen,
Und ich atme frei !

    Wehe ! wehe !
    Beide Teile
    Stehn in Eile
    Schon als Knechte
    Völlig fertig in die Höhe !
    Helft mir, ach ! ihr hohen Mächte !

Und sie laufen ! Naß und nässer
Wird's im Saal und auf den Stufen.
Welch entsetzliches Gewässer !
Herr und Meister ! hör' mich rufen ! —
Ach, da kommt der Meister !
Herr, die Not ist groß !
Die ich rief, die Geister,
Werd' ich nun nicht los.

    " In die Ecke,
    Besen ! Besen !
    Seid's gewesen !
    Denn als Geister
    Ruft euch nur zu seinem Zwecke
    Erst hervor der alte Meister."

FRIEDRICH VON SCHILLER

38. DAS MÄDCHEN AUS DER FREMDE

In einem Tal bei armen Hirten
Erschien mit jedem jungen Jahr,
Sobald die ersten Lerchen schwirrten,
Ein Mädchen schön und wunderbar.

Sie war nicht in dem Tal geboren,
Man wußte nicht, woher sie kam;
Und schnell war ihre Spur verloren,
Sobald das Mädchen Abschied nahm.

Beseligend war ihre Nähe,
Und alle Herzen wurden weit;
Doch eine Würde, eine Höhe
Entfernte die Vertraulichkeit.

Sie brachte Blumen mit und Früchte,
Gereift auf einer andern Flur,
In einem andern Sonnenlichte,
In einer glücklichern Natur.

Und teilte jedem eine Gabe,
Dem Früchte, jenem Blumen aus;
Der Jüngling und der Greis am Stabe,
Ein jeder ging beschenkt nach Haus.

Willkommen waren alle Gäste;
Doch nahte sich ein liebend Paar,
Dem reichte sie der Gaben beste,
Der Blumen allerschönste dar.

39. REITERLIED

Wohlauf, Kameraden, aufs Pferd, aufs Pferd!
  Ins Feld, in die Freiheit gezogen!
Im Felde, da ist der Mann noch was wert,
  Da wird das Herz noch gewogen.
Da tritt kein anderer für ihn ein,
Auf sich selber steht er da ganz allein.

Aus der Welt die Freiheit verschwunden ist,
  Man sieht nur Herren und Knechte;
Die Falschheit herrschet, die Hinterlist
  Bei dem feigen Menschengeschlechte.
Der dem Tod ins Angesicht schauen kann,
Der Soldat allein ist der freie Mann.

Des Lebens Ängsten, er wirft sie weg,
  Hat nicht mehr zu fürchten, zu sorgen;
Er reitet dem Schicksal entgegen keck,
  Trifft's heute nicht, trifft es doch morgen;
Und trifft es morgen, so lasset uns heut'
Noch schlürfen die Neige der köstlichen Zeit.

Von dem Himmel fäl't ihm sein lustig Los,
  Braucht's nicht mit Müh' zu erstreben;
Der Fröner, der sucht in der Erde Schoß,
  Da meint er den Schatz zu erheben.
Er gräbt und schaufelt, so lang er lebt,
Und gräbt, bis er endlich sein Grab sich gräbt.

Der Reiter und sein geschwindes Roß,
   Sie sind gefürchtete Gäste ;
Es flimmern die Lampen im Hochzeitsschloß,
   Ungeladen kommt er zum Feste,
Er wirbt nicht lange, er zeiget nicht Gold,
Im Sturm erringt er den Minnesold.

Warum weint die Dirn' und zergrämet sich schier ?
   Laß fahren dahin, laß fahren !
Er hat auf Erden kein bleibend Quartier,
   Kann treue Lieb' nicht bewahren.
Das rasche Schicksal, es treibt ihn fort,
Seine Ruhe läßt er an keinem Ort.

Drum frisch, Kameraden, den Rappen gezäumt,
   Die Brust im Gefechte gelüftet !
Die Jugend brauset, das Leben schäumt,
   Frisch auf, eh' der Geist noch verdüftet !
Und setzet ihr nicht das Leben ein,
Nie wird euch das Leben gewonnen sein.

40. DIE TEILUNG DER ERDE

" Nehmt hin die Welt ! " rief Zeus von seinen Höhen
   Den Menschen zu.   " Nehmt, sie soll euer sein.
Euch schenk' ich sie zum Erb' und ew'gen Lehen ;
   Doch teilt euch brüderlich darein ! "

Da eilt, was Hände hat, sich einzurichten,
   Es regte sich geschäftig jung und alt.

Der Ackermann griff nach des Feldes Früchten,
  Der Junker birschte durch den Wald.

Der Kaufmann nimmt, was seine Speicher fassen,
  Der Abt wählt sich den edlen Firnewein,
Der König sperrt die Brücken und die Straßen
  Und sprach : " Der Zehente ist mein."

Ganz spät, nachdem die Teilung längst geschehen,
  Naht der Poet, er kam aus weiter Fern' ;
Ach, da war überall nichts mehr zu sehen,
  Und alles hatte seinen Herrn.

" Weh mir !   So soll denn ich allein von allen
  Vergessen sein, ich, dein getreuster Sohn ? "
So ließ er laut der Klage Ruf erschallen
  Und warf sich hin vor Jovis Thron.

" Wenn du im Land der Träume dich verweilet,"
  Versetzt der Gott, " so hadre nicht mit mir.
Wo warst du denn, als man die Welt geteilet ? " —
  " Ich war," sprach der Poet, " bei dir.

" Mein Auge hing an deinem Angesichte,
  An deines Himmels Harmonie mein Ohr ;
Verzeih dem Geiste, der, von deinem Lichte
  Berauscht, das Irdische verlor ! " —

" Was tun ? " spricht Zeus. " Die Welt ist weggegeben,
  Der Herbst, die Jagd, der Markt ist nicht mehr mein.
Willst du in meinem Himmel mit mir leben,
  So oft du kommst, er soll dir offen sein."

41. DER RING DES POLYKRATES

Er stand auf seines Daches Zinnen,
Er schaute mit vergnügten Sinnen
Auf das beherrschte Samos hin.
" Dies Alles ist mir untertänig,"
Begann er zu Ägyptens König,
" Gestehe, daß ich glücklich bin ! "

" Du hast der Götter Gunst erfahren !
Die vormals deines Gleichen waren,
Sie zwingt jetzt deines Zepters Macht.
Doch einer lebt noch, sie zu rächen ;
Dich kann mein Mund nicht glücklich sprechen,
So lang des Feindes Auge wacht."

Und eh' der König noch geendet,
Da stellt sich, von Milet gesendet,
Ein Bote dem Tyrannen dar ;
" Laß, Herr, des Opfers Düfte steigen,
Und mit des Lorbeers muntern Zweigen
Bekränze dir dein festlich Haar !

" Getroffen sank dein Feind vom Speere ;
Mich sendet mit der frohen Märe
Dein treuer Feldherr Polydor " —
Und nimmt aus einem schwarzen Becken
Noch blutig, zu der Beiden Schrecken,
Ein wohlbekanntes Haupt hervor.

Der König tritt zurück mit Grauen :
" Doch warn' ich dich, dem Glück zu trauen,"
Versetzt er mit besorgtem Blick.
" Bedenk, auf ungetreuen Wellen —
Wie leicht kann sie der Sturm zerschellen ! —
Schwimmt deiner Flotte zweifelnd Glück."

Und eh' er noch das Wort gesprochen,
Hat ihn der Jubel unterbrochen,
Der von der Reede jauchzend schallt.
Mit fremden Schätzen reich beladen,
Kehrt zu den heimischen Gestaden
Der Schiffe mastenreicher Wald.

Der königliche Gast erstaunet :
" Dein Glück ist heute gut gelaunet,
Doch fürchte seinen Unbestand !
Der Kreter waffenkund'ge Scharen
Bedräuen dich mit Kriegsgefahren ;
Schon nahe sind sie diesem Strand."

Und eh' ihm noch das Wort entfallen,
Da sieht man's von den Schiffen wallen,
Und tausend Stimmen rufen : " Sieg !
Von Feindesnot sind wir befreiet,
Die Kreter hat der Sturm zerstreuet,
Vorbei, geendet ist der Krieg ! "

Das hört der Gastfreund mit Entsetzen :
" Fürwahr, ich muß dich glücklich schätzen ;
Doch," spricht er, " zittr' ich für dein Heil.

Mir grauet vor der Götter Neide ;
Des Lebens ungemischte Freude
Ward keinem Irdischen zu Teil.

" Auch mir ist alles wohl geraten,
Bei allen meinen Herrschertaten
Begleitet mich des Himmels Huld ;
Doch hatt' ich einen teuren Erben,
Den nahm mir Gott, ich sah ihn sterben,
Dem Glück bezahlt' ich meine Schuld.

" Drum, willst du dich vor Leid bewahren,
So flehe zu den Unsichtbaren,
Daß sie zum Glück den Schmerz verleihn.
Noch keinen sah ich fröhlich enden,
Auf den mit immer vollen Händen
Die Götter ihre Gaben streun.

" Und wenn's die Götter nicht gewähren,
So acht' auf eines Freundes Lehren
Und rufe selbst das Unglück her ;
Und was von allen deinen Schätzen
Dein Herz am höchsten mag ergötzen,
Das nimm und wirf's in dieses Meer ! "

Und jener spricht, von Furcht beweget :
" Von allem, was die Insel heget,
Ist dieser Ring mein höchstes Gut.
Ihn will ich den Erinnen weihen,
Ob sie mein Glück mir dann verzeihen "
Und wirft das Kleinod in die Flut.

Und bei des nächsten Morgens Lichte,
Da tritt mit fröhlichem Gesichte
Ein Fischer vor den Fürsten hin :
" Herr, diesen Fisch hab' ich gefangen,
Wie keiner noch ins Netz gegangen ;
Dir zum Geschenke bring' ich ihn."

Und als der Koch den Fisch zerteilet,
Kommt er bestürzt herbeigeeilet
Und ruft mit hocherstauntem Blick :
" Sieh, Herr, den Ring, den du getragen,
Ihn fand ich in des Fisches Magen ;
O, ohne Grenzen ist dein Glück ! "

Hier wendet sich der Gast mit Grausen :
" So kann ich hier nicht ferner hausen,
Mein Freund kannst du nicht weiter sein.
Die Götter wollen dein Verderben ;
Fort eil' ich, nicht mit dir zu sterben."
Und sprach's und schiffte schnell sich ein.

42. SEHNSUCHT

ACH, aus dieses Tales Gründen,
    Die der kalte Nebel drückt,
Könnt' ich doch den Ausgang finden,
    Ach, wie fühlt' ich mich beglückt !
Dort erblick' ich schöne Hügel,
    Ewig jung und ewig grün !
Hätt' ich Schwingen, hätt' ich Flügel,
    Nach den Hügeln zög' ich hin.

Harmonien hör' ich klingen,
    Töne süßer Himmelsruh,
Und die leichten Winde bringen
    Mir der Düfte Balsam zu.
Goldne Früchte seh' ich glühen,
    Winkend zwischen dunklem Laub,
Und die Blumen, die dort blühen,
    Werden keines Winters Raub.

Ach, wie schön muß sich's ergehen
    Dort im ew'gen Sonnenschein!
Und die Luft auf jenen Höhen —
    O, wie labend muß sie sein!
Doch mir wehrt des Stromes Toben,
    Der ergrimmt dazwischen braust;
Seine Wellen sind gehoben,
    Daß die Seele mir ergraust.

Einen Nachen seh' ich schwanken,
    Aber, ach! der Fährmann fehlt.
Frisch hinein und ohne Wanken!
    Seine Segel sind beseelt.
Du mußt glauben, du mußt wagen,
    Denn die Götter leihn kein Pfand;
Nur ein Wunder kann dich tragen
    In das schöne Wunderland.

43. HOFFNUNG

Es reden und träumen die Menschen viel
    Von bessern künftigen Tagen;

B.G.P.

Nach einem glücklichen, goldenen Ziel
　　Sieht man sie rennen und jagen.
Die Welt wird alt und wird wieder jung,
Doch der Mensch hofft immer Verbesserung.

Die Hoffnung führt ihn ins Leben ein,
　　Sie umflattert den fröhlichen Knaben,
Den Jüngling begeistert ihr Zauberschein,
　　Sie wird mit dem Greis nicht begraben ;
Denn beschließt er im Grabe den müden Lauf,
Noch am Grabe pflanzt er — die Hoffnung auf.

Es ist kein leerer, schmeichelnder Wahn,
　　Erzeugt im Gehirne des Toren ;
Im Herzen kündet es laut sich an :
　　Zu was Besserm sind wir geboren ;
Und was die innere Stimme spricht,
Das täuscht die hoffende Seele nicht.

44. POESIE

Mich hält kein Band, mich fesselt keine Schranke,
Frei schwing' ich mich durch alle Räume fort,
Mein unermeßlich Reich ist der Gedanke,
Und mein geflügelt Werkzeug ist das Wort.
Was sich bewegt im Himmel und auf Erden,
Was die Natur tief im Verborgnen schafft,
Muß mir entschleiert und entsiegelt werden,
Denn nichts beschränkt die freie Dichterkraft ;
Doch schönres find' ich nichts, wie lang ich wähle,
Als in der schönen Form — die schöne Seele.

45. AUS DEM " LIED VON DER GLOCKE "

Wie sich schon die Pfeifen bräunen !
Dieses Stäbchen tauch' ich ein,
Seh'n wir's überglast erscheinen,
Wird's zum Gusse zeitig sein.
   Jetzt, Gesellen, frisch !
   Prüft mir das Gemisch,
Ob das Spröde mit dem Weichen
Sich vereint zum guten Zeichen.

Denn wo das Strenge mit dem Zarten,
Wo Starkes sich und Mildes paarten,
Da gibt es einen guten Klang.
Drum prüfe, wer sich ewig bindet,
Ob sich das Herz zum Herzen findet !
Der Wahn ist kurz, die Reu' ist lang.
Lieblich in der Bräute Locken
Spielt der jungfräuliche Kranz,
Wenn die hellen Kirchenglocken
Laden zu des Festes Glanz.
Ach ! des Lebens schönste Feier
Endigt auch den Lebensmai,
Mit dem Gürtel, mit dem Schleier
Reißt der schöne Wahn entzwei.
Die Leidenschaft flieht,
Die Liebe muß bleiben ;
Die Blume verblüht,
Die Frucht muß treiben.
Der Mann muß hinaus

Ins feindliche Leben,
Muß wirken und streben
Und pflanzen und schaffen,
Erlisten, erraffen,
Muß wetten und wagen,
Das Glück zu erjagen.
Da strömet herbei die unendliche Gabe,
Es füllt sich der Speicher mit köstlicher
Habe,
Die Räume wachsen, es dehnt sich das Haus.
Und drinnen waltet
Die züchtige Hausfrau,
Die Mutter der Kinder,
Und herrschet weise
Im häuslichen Kreise,
Und lehret die Mädchen
Und wehret den Knaben,
Und reget ohn' Ende
Die fleißigen Hände,
Und mehrt den Gewinn
Mit ordnendem Sinn,
Und füllet mit Schätzen die duftenden Laden,
Und dreht um die schnurrende Spindel den
Faden,
Und sammelt im reinlich geglätteten Schrein
Die schimmernde Wolle, den schneeichten Lein,
Und füget zum Guten den Glanz und den
Schimmer,
Und ruhet nimmer.

Und der Vater mit frohem Blick
Von des Hauses weitschauendem Giebel
Überzählet sein blühend Glück,
Siehet der Pfosten ragende Bäume
Und der Scheunen gefüllte Räume
Und die Speicher, vom Segen gebogen,
Und des Kornes bewegte Wogen,
Rühmt sich mit stolzem Mund :
Fest, wie der Erde Grund,
Gegen des Unglücks Macht
Steht mir des Hauses Pracht !
Doch mit des Geschickes Mächten
Ist kein ew'ger Bund zu flechten,
Und das Unglück schreitet schnell.

46. SCHLÜSSEL

Willst du dich selber erkennen, so sieh, wie die andern
     es treiben ;
  Willst du die andern verstehn, blick' in dein eigenes
     Herz.

47. ERWARTUNG UND ERFÜLLUNG

In den Ozean schifft mit tausend Masten der Jüngling ;
  Still, auf gerettetem Boot, treibt in den Hafen der
     Greis.

ERNST MORITZ ARNDT

48. DES DEUTSCHEN VATERLAND (1813)

" Was ist des Deutschen Vaterland ?
Ist's Preußenland ? ist's Schwabenland ?
Ist's wo am Rhein die Rebe blüht ?
Ist's wo am Belt die Möwe zieht ? " —
" O nein, nein, nein !
Sein Vaterland muß größer sein." —

" Was ist des Deutschen Vaterland ?
Ist's Baierland ? ist's Steierland ?
Ist's wo des Marsen Rind sich streckt ?
Ist's wo der Märker Eisen reckt ? " —
" O nein, nein, nein !
Sein Vaterland muß größer sein." —

" Was ist des Deutschen Vaterland ?
Ist's Pommerland ? Westfalenland ?
Ist's wo der Sand der Dünen weht ?
Ist's wo die Donau brausend geht ? "—
" O nein, nein, nein !
Sein Vaterland muß größer sein." —

" Was ist des Deutschen Vaterland ?
So nenne mir das große Land !
Ist's Land der Schweizer ? ist's Tirol ? "
" Das Land und Volk gefiel mir wohl ;
Doch nein, nein, nein !
Sein Vaterland muß größer sein." —

" Was ist des Deutschen Vaterland ?
So nenne mir das große Land !
Gewiß, es ist das Österreich,
An Ehren und an Siegen reich ? " —
" O nein, nein, nein !
Sein Vaterland muß größer sein." —

" Was ist des Deutschen Vaterland ?
So nenne endlich mir das Land ! " —
" So weit die deutsche Zunge klingt
Und Gott im Himmel Lieder singt,
Das soll es sein !
Das, wackrer Deutscher, nenne dein !

" Das ist des Deutschen Vaterland,
Wo Eide schwört der Druck der Hand,
Wo Treue hell vom Auge blitzt
Und Liebe warm im Herzen sitzt :
Das soll es sein !
Das, wackrer Deutscher, nenne dein !

" Das ist des Deutschen Vaterland,
Wo Zorn vertilgt den welschen Tand,
Wo jeder Franzmann heißet Feind,
Wo jeder Deutsche heißet Freund :
Das soll es sein !
Das ganze Deutschland soll es sein !

" Das ganze Deutschland soll es sein !
O Gott vom Himmel, sieh darein
Und gib uns rechten deutschen Mut,
Daß wir es lieben treu und gut !
Das soll es sein !
Das ganze Deutschland soll es sein ! "

FRIEDRICH HÖLDERLIN

49. SCHICKSALSLIED

Ihr wandelt droben im Licht
Auf weichem Boden, selige Genien !
Glänzende Götterlüfte
Rühren euch leicht,
Wie die Finger der Künstlerin
Heilige Saiten.

Schicksallos, wie der schlafende
Säugling, atmen die Himmlischen ;
Keusch bewahrt
In bescheidener Knospe,
Blühet ewig
Ihnen der Geist,
Und die seligen Augen
Blicken in stiller,
Ewiger Klarheit.

Doch uns ist gegeben,
Auf keiner Stätte zu ruhn ;
Es schwinden, es fallen
Die leidenden Menschen
Blindlings von einer
Stunde zur andern,
Wie Wasser von Klippe
Zu Klippe geworfen,
Jahrlang ins Ungewisse hinab.

NOVALIS
(Friedrich von Hardenberg)

50. WENN ALLE UNTREU WERDEN

Wenn alle untreu werden,
So bleib' ich dir doch treu,
Daß Dankbarkeit auf Erden
Nicht ausgestorben sei.
Für mich umfing dich Leiden,
Vergingst für mich in Schmerz ;
Drum geb' ich dir mit Freuden
Auf ewig dieses Herz.

Oft muß ich bitter weinen,
Daß du gestorben bist
Und mancher von den Deinen
Dich lebenslang vergißt.
Von Liebe nur durchdrungen
Hast du so viel getan,
Und doch bist du verklungen,
Und keiner denkt daran.

Du stehst voll treuer Liebe
Noch immer jedem bei ;
Und wenn dir keiner bliebe,
So bleibst du dennoch treu.
Die treuste Liebe sieget,
Am Ende fühlt man sie,
Weint bitterlich und schmieget
Sich kindlich an dein Knie.

Ich habe dich empfunden.
O. lasse nicht von mir !
Laß innig mich verbunden
Auf ewig sein mit dir !
Einst schauen meine Brüder
Auch wieder himmelwärts
Und sinkend liebend nieder
Und fallen dir ans Herz.

AUGUST ZARNACK

51. O TANNENBAUM !

O TANNENBAUM, o Tannenbaum,
Wie treu sind deine Blätter !
Du grünst nicht nur zur Sommerzeit,
Im Winter auch, wenn's friert und schneit.
O Tannenbaum, o Tannenbaum,
Wie treu sind deine Blätter !

O Mägdelein, o Mägdelein,
Wie falsch ist dein Gemüte !
Du schwurst mir Treu' in meinem Glück ;
Nun arm ich bin, gehst du zurück.
O Mägdelein, o Mägdelein,
Wie falsch ist dein Gemüte !

Die Nachtigall, die Nachtigall
Nahmst du dir zum Exempel !
Sie bleibt so lang' der Sommer lacht,
Im Herbst sie sich von dannen macht.

Die Nachtigall, die Nachtigall
Nahmst du dir zum Exempel!

Der Bach im Tal, der Bach im Tal
Ist deiner Falschheit Spiegel!
Er strömt allein, wenn Regen fließt,
Bei Dürr' er bald den Quell verschließt.
Der Bach im Tal, der Bach im Tal
Ist deiner Falschheit Spiegel!

CLEMENS BRENTANO

52. DER SPINNERIN LIED

Es sang vor langen Jahren
Wohl auch die Nachtigall,
Das war wohl süßer Schall,
Da wir zusammen waren.

Ich sing' und kann nicht weinen,
Und spinne so allein
Den Faden klar und rein,
So lang' der Mond wird scheinen.

Da wir zusammen waren,
Da sang die Nachtigall,
Nun mahnet mich ihr Schall,
Daß du von mir gefahren.

So oft der Mond mag scheinen,
Gedenk' ich dein allein,
Mein Herz ist klar und rein,
Gott wolle uns vereinen!

Seit du von mir gefahren,
Singt stets die Nachtigall,
Ich denk' bei ihrem Schall,
Wie wir zusammen waren.

Gott wolle uns vereinen,
Hier spinn' ich so allein,
Der Mond scheint klar und rein,
Ich sing' und möchte weinen!

ADALBERT VON CHAMISSO

53. DAS RIESENSPIELZEUG

Burg Niedeck ist im Elsaß der Sage wohlbekannt,
Die Höhe, wo vor Zeiten die Burg der Riesen stand;
Sie selbst ist nun verfallen, die Stätte wüst und leer,
Du fragest nach den Riesen, du findest sie nicht mehr.

Einst kam das Riesenfräulein aus jener Burg hervor,
Erging sich sonder Wartung und spielend vor dem Tor
Und stieg hinab den Abhang bis in das Tal hinein,
Neugierig zu erkunden, wie's unten möchte sein.

Mit wen'gen raschen Schritten durchkreuzte sie den Wald,
Erreichte gegen Haslach das Land der Menschen bald,
Und Städte dort und Dörfer und das bestellte Feld
Erschienen ihren Augen gar eine fremde Welt.

Wie jetzt zu ihren Füßen sie spähend niederschaut,
Bemerkt sie einen Bauer, der seinen Acker baut;
Es kriecht das kleine Wesen einher so sonderbar,
Es glitzert in der Sonne der Pflug so blank und klar.

"Ei! artig Spielding!" ruft sie, "das nehm' ich mit
    nach Haus!"
Sie knieet nieder, spreitet behend ihr Tüchlein aus
Und feget mit den Händen, was sich da alles regt,
Zu Haufen in das Tüchlein, das sie zusammenschlägt;

Und eilt mit freud'gen Sprüngen — man weiß, wie Kinder
    sind —
Zur Burg hinan und suchet den Vater auf geschwind:
"Ei Vater, lieber Vater, ein Spielding wunderschön!
So Allerliebstes sah ich noch nie auf unsern Höhn."

Der Alte saß am Tische und trank den kühlen Wein,
Er schaut sie an behaglich, er fragt das Töchterlein:
"Was Zappeliges bringst du in deinem Tuch herbei?
Du hüpfest ja vor Freuden; laß sehen, was es sei!"

Sie spreitet aus das Tüchlein und fängt behutsam an
Den Bauer aufzustellen, den Pflug und das Gespann;
Wie alles auf dem Tische sie zierlich aufgebaut,
So klatscht sie in die Hände und springt und jubelt laut.

Der Alte wird gar ernsthaft und wiegt sein Haupt und
    spricht:
"Was hast du angerichtet? Das ist kein Spielzeug nicht!
Wo du es hergenommen, da trag' es wieder hin!
Der Bauer ist kein Spielzeug; was kommt dir in den
    Sinn?

"Sollst gleich und ohne Murren erfüllen mein Gebot;
Denn wäre nicht der Bauer, so hättest du kein Brot!
Es sprießt der Stamm der Riesen aus Bauernmark hervor,
Der Bauer ist kein Spielzeug, da sei uns Gott davor!"

Burg Niedeck ist im Elsaß der Sage wohlbekannt,
Die Höhe, wo vor Zeiten die Burg der Riesen stand ;
Sie selbst ist nun verfallen, die Stätte wüst und leer,
Und fragst du nach den Riesen, du findest sie nicht mehr.

54. DAS SCHLOSS BONCOURT

Ich träum' als Kind mich zurücke
Und schüttle mein greises Haupt ;
Wie sucht ihr mich heim, ihr Bilder,
Die lang' ich vergessen geglaubt ?

Hoch ragt aus schatt'gen Gehegen
Ein schimmerndes Schloß hervor :
Ich kenne die Türme, die Zinnen,
Die steinerne Brücke, das Tor.

Es schauen vom Wappenschilde
Die Löwen so traulich mich an ;
Ich grüße die alten Bekannten
Und eile den Burghof hinan.

Dort liegt die Sphinx am Brunnen,
Dort grünt der Feigenbaum,
Dort, hinter diesen Fenstern,
Verträumt' ich den ersten Traum.

Ich tret' in die Burgkapelle
Und suche des Ahnherrn Grab,
Dort ist's, dort hängt vom Pfeiler
Das alte Gewaffen herab.

Noch lesen umflort die Augen
Die Züge der Inschrift nicht,
Wie hell durch die bunten Scheiben
Das Licht darüber auch bricht.

So stehst du, o Schloß meiner Väter,
Mir treu und fest in dem Sinn,
Und bist von der Erde verschwunden,
Der Pflug geht über dich hin.

Sei fruchtbar, o teurer Boden!
Ich segne dich mild und gerührt,
Und segn' ihn zwiefach, wer immer
Den Pflug nun über dich führt.

Ich aber will auf mich raffen,
Mein Saitenspiel in der Hand,
Die Weiten der Erde durchschweifen
Und singen von Land zu Land.

MAX VON SCHENKENDORFF

55. MUTTERSPRACHE

Muttersprache, Mutterlaut!
Wie so wonnesam, so traut!
Erstes Wort, das mir erschallet,
Süßes, erstes Liebeswort,
Erster Ton, den ich gelallet,
Klingest ewig in mir fort.

Ach, wie trüb ist meinem Sinn,
Wenn ich in der Fremde bin,
Wenn ich fremde Zungen üben,
Fremde Worte brauchen muß,
Die ich nimmermehr kann lieben,
Die nicht klingen als ein Gruß !

Sprache, schön und wunderbar,
Ach, wie klingest du so klar !
Will noch tiefer mich vertiefen
In den Reichtum, in die Pracht,
Ist mir's doch, als ob mich riefen
Väter aus des Grabes Nacht.

Klinge, klinge fort und fort,
Heldensprache, Liebeswort,
Steig empor aus tiefen Grüften,
Längst verschollnes altes Lied,
Leb' aufs neu in heil'gen Schriften,
Daß dir jedes Herz erglüht !

Überall weht Gottes Hauch,
Heilig ist wohl mancher Brauch.
Aber soll ich beten, danken,
Geb' ich meine Liebe kund :
Meine seligsten Gedanken
Sprech' ich, wie der Mutter Mund.

JUSTINUS KERNER

56. WANDERLIED

WOHLAUF ! noch getrunken
Den funkelnden Wein !
Ade nun, ihr Lieben !
Geschieden muß sein.
Ade nun, ihr Berge,
Du väterlich Haus !
Es treibt in die Ferne
Mich mächtig hinaus.

Die Sonne, sie bleibet
Am Himmel nicht stehn,
Es treibt sie, durch Länder
Und Meere zu gehn.
Die Woge nicht haftet
Am einsamen Strand,
Die Stürme, sie brausen
Mit Macht durch das Land.

Mit eilenden Wolken
Der Vogel dort zieht,
Und singt in der Ferne
Ein heimatlich Lied.
So treibt es den Burschen
Durch Wälder und Feld,
Zu gleichen der Mutter,
Der wandernden Welt.

Da grüßen ihn Vögel
Bekannt überm Meer,
Sie flogen von Fluren
Der Heimat hieher ;
Da duften die Blumen
Vertraulich um ihn,
Sie trieben vom Lande
Die Lüfte dahin.

Die Vögel, die kennen
Sein väterlich Haus,
Die Blumen einst pflanzt' er
Der Liebe zum Strauß,
Und Liebe, die folgt ihm,
Sie geht ihm zur Hand :
So wird ihm zur Heimat
Das fernste Land.

57. DER REICHSTE FÜRST

Preisend mit viel schönen Reden
Ihrer Länder Wert und Zahl,
Saßen viele deutsche Fürsten
Einst zu Worms im Kaisersaal.

" HERRLICH," sprach der Fürst von Sachsen,
" Ist mein Land und seine Macht,
Silber hegen seine Berge
Wohl in manchem tiefen Schacht."

" Seht mein Land in üpp'ger Fülle,"
Sprach der Kurfürst von dem Rhein,
" Goldne Saaten in den Tälern,
Auf den Bergen edlen Wein ! "

" Große Städte, reiche Klöster,"
Ludwig, Herr zu Bayern, sprach,
" Schaffen, daß mein Land dem euren
Wohl nicht steht an Schätzen nach."

Eberhard, der mit dem Barte,
Württembergs geliebter Herr,
Sprach : " Mein Land hat kleine Städte,
Trägt nicht Berge silberschwer ;

" Doch ein Kleinod hält's verborgen : —
Daß in Wäldern, noch so groß,
Ich mein Haupt kann kühnlich legen
Jedem Untertan in Schoß."

Und es rief der Herr von Sachsen,
Der von Bayern, der vom Rhein :
" Graf im Bart ! Ihr seid der Reichste,
Euer Land trägt Edelstein ! "

58. DER WANDERER IN DER SÄGEMÜHLE

DORT unten in der Mühle
Saß ich in süßer Ruh'
Und sah dem Räderspiele
Und sah dem Wasser zu.

Sah zu der blanken Säge,
Es war mir wie ein Traum,
Die bahnte lange Wege
In einen Tannenbaum.

Die Tanne war wie lebend ;
In Trauermelodie,
Durch alle Fasern bebend,
Sang diese Worte sie :

" Du kehrst zur rechten Stunde,
O Wanderer, hier ein,
Du bist's, für den die Wunde
Mir dringt ins Herz hinein.

" Du bist's, für den wird werden,
Wenn kurz gewandert du,
Dies Holz im Schoß der Erden
Ein Schrein zur langen Ruh'."

Vier Bretter sah ich fallen,
Mir ward's ums Herze schwer,
Ein Wörtlein wollt' ich lallen,
Da ging das Rad nicht mehr.

LUDWIG UHLAND

59. DER GUTE KAMERAD

Ich hatt' einen Kameraden,
Einen bessern find'st du nit.

Die Trommel schlug zum Streite,
Er ging an meiner Seite
In gleichem Schritt und Tritt.

Eine Kugel kam geflogen :
Gilt's mir, oder gilt es dir ?
Ihn hat es weggerissen,
Er liegt mir vor den Füßen,
Als wär's ein Stück von mir.

Will mir die Hand noch reichen,
Derweil ich eben lad'.
" Kann dir die Hand nicht geben ;
Bleib du im ew'gen Leben
Mein guter Kamerad ! "

60. SIEGFRIEDS SCHWERT

Jung Siegfried war ein stolzer Knab',
Ging von des Vaters Burg herab.

Wollt' rasten nicht in Vaters Haus,
Wollt' wandern in alle Welt hinaus.

Begegnet' ihm manch Ritter wert
Mit festem Schild und breitem Schwert.

Siegfried nur einen Stecken trug ;
Das war ihm bitter und leid genug.

Und als er ging im finstern Wald,
Kam er zu einer Schmiede bald.

Da sah er Eisen und Stahl genug ;
Ein lustig Feuer Flammen schlug.

" O Meister, liebster Meister mein,
Laß du mich deinen Gesellen sein !

Und lehr' du mich mit Fleiß und Acht,
Wie man die guten Schwerter macht ! "

Siegfried den Hammer wohl schwingen kunnt',
Er schlug den Amboß in den Grund ;

Er schlug, daß weit der Wald erklang
Und alles Eisen in Stücke sprang.

Und von der letzten Eisenstang'
Macht er ein Schwert so breit und lang :

" Nun hab' ich geschmiedet ein gutes Schwert,
Nun bin ich wie andre Ritter wert.

Nun schlag' ich wie ein andrer Held
Die Riesen und Drachen in Wald und Feld."

61. DER WIRTIN TÖCHTERLEIN

Es zogen drei Bursche wohl über den Rhein,
Bei einer Frau Wirtin da kehrten sie ein.

" Frau Wirtin ! hat sie gut Bier und Wein ?
Wo hat sie ihr schönes Töchterlein ? "

" Mein Bier und Wein ist frisch und klar,
Mein Töchterlein liegt auf der Totenbahr'."

Und als sie traten zur Kammer hinein,
Da lag sie in einem schwarzen Schrein.

Der erste, der schlug den Schleier zurück
Und schaute sie an mit traurigem Blick:

"Ach! lebtest du noch, du schöne Maid!
Ich würde dich lieben von dieser Zeit."

Der zweite deckte den Schleier zu
Und kehrte sich ab und weinte dazu:

"Ach! daß du liegst auf der Totenbahr'!
Ich hab' dich geliebet so manches Jahr."

Der dritte hub ihn wieder sogleich
Und küßte sie an den Mund so bleich:

"Dich lieb' ich immer, dich lieb' ich noch heut'
Und werde dich lieben in Ewigkeit."

62. DAS SCHLOSS AM MEERE

HAST du das Schloß gesehen,
Das hohe Schloß am Meer?
Golden und rosig wehen
Die Wolken drüber her.

Es möchte sich niederneigen
In die spiegelklare Flut,
Es möchte streben und steigen
In der Abendwolken Glut.

"Wohl hab' ich es gesehen,
Das hohe Schloß am Meer,

Und den Mond darüber stehen
Und Nebel weit umher."

Der Wind und des Meeres Wallen,
Gaben sie frischen Klang ?
Vernahmst du aus hohen Hallen
Saiten und Festgesang ?

" Die Winde, die Wogen alle
Lagen in tiefer Ruh' ;
Einem Klagelied aus der Halle
Hört' ich mit Tränen zu."

Sahest du oben gehen
Den König und sein Gemahl,
Der roten Mäntel Wehen,
Der goldnen Kronen Strahl ?

Führten sie nicht mit Wonne
Eine schöne Jungfrau dar,
Herrlich wie eine Sonne,
Strahlend im goldnen Haar ?

" Wohl sah ich die Eltern beide,
Ohne der Kronen Licht,
Im schwarzen Trauerkleide ;
Die Jungfrau sah ich nicht."

63. DAS GLÜCK VON EDENHALL

Von Edenhall der junge Lord
Läßt schmettern Festtrommetenschall ;

Er hebt sich an des Tisches Bord
Und ruft in trunkner Gäste Schwall :
" Nun her mit dem Glücke von Edenhall ! "

Der Schenk vernimmt ungern den Spruch,
Des Hauses ältester Vasall,
Nimmt zögernd aus dem seidnen Tuch
Das hohe Trinkglas von Kristall ;
Sie nennen's das Glück von Edenhall.

Darauf der Lord : " Dem Glas zum Preis
Schenk' Roten ein aus Portugal ! "
Mit Händezittern gießt der Greis,
Und purpurn Licht wird überall ;
Es strahlt aus dem Glücke von Edenhall.

Da spricht der Lord und schwingt's dabei :
" Dies Glas von leuchtendem Kristall
Gab meinem Ahn am Quell die Fei ;
Drein schrieb sie : ' Kommt dies Glas zu Fall,
Fahr wohl dann, o Glück von Edenhall ! '

" Ein Kelchglas ward zum Los mit Fug
Dem freud'gen Stamm von Edenhall :
Wir schlürfen gern in vollem Zug,
Wir läuten gern mit lautem Schall,
Stoßt an mit dem Glücke von Edenhall ! "

Erst klingt es milde, tief und voll,
Gleich dem Gesang der Nachtigall,
Dann wie des Waldstroms laut Geroll ;

Roten = roten Wein.

Zuletzt erdröhnt wie Donnerhall
Das herrliche Glück von Edenhall.

" Zum Horte nimmt ein kühn Geschlecht
Sich den zerbrechlichen Kristall ;
Er dauert länger schon als recht ;
Stoßt an ! Mit diesem kräft'gen Prall
Versuch' ich das Glück von Edenhall."

Und als das Trinkglas gellend springt,
Springt das Gewölb' mit jähem Knall,
Und aus dem Riß die Flamme dringt ;
Die Gäste sind zerstoben all'
Mit dem brechenden Glücke von Edenhall.

Einstürmt der Feind mit Brand und Mord,
Der in der Nacht erstieg den Wall ;
Vom Schwerte fällt der junge Lord,
Hält in der Hand noch den Kristall,
Das zersprungene Glück von Edenhall.

Am Morgen irrt der Schenk allein,
Der Greis, in der zerstörten Hall' ;
Er sucht des Herrn verbrannt Gebein,
Er sucht im grausen Trümmerfall
Die Scherben des Glücks von Edenhall.

" Die Steinwand," spricht er, " springt zu Stück,
Die hohe Säule muß zu Fall ;
Glas ist der Erde Stolz und Glück,
In Splitter fällt der Erdenball
Einst, gleich dem Glücke von Edenhall."

64. DES SÄNGERS FLUCH

Es stand in alten Zeiten ein Schloß so hoch und hehr,
Weit glänzt' es über die Lande bis an das blaue Meer ;
Und rings von duft'gen Gärten ein blütenreicher Kranz,
Drin sprangen frische Brunnen in Regenbogenglanz.

Dort saß ein stolzer König, an Land und Siegen reich,
Er saß auf seinem Throne so finster und so bleich ;
Denn was er sinnt, ist Schrecken, und was er blickt, ist
Wut,
Und was er spricht, ist Geißel, und was er schreibt, ist
Blut.

Einst zog nach diesem Schlosse ein edles Sängerpaar,
Der ein' in goldnen Locken, der andre grau von Haar :
Der Alte mit der Harfe, der saß auf schmuckem Roß ;
Es schritt ihm frisch zur Seite der blühende Genoß.

Der Alte sprach zum Jungen : " Nun sei bereit, mein
Sohn !
Denk' unsrer tiefsten Lieder, stimm' an den vollsten Ton !
Nimm alle Kraft zusammen, die Lust und auch den
Schmerz !
Es gilt uns heut' zu rühren des Königs steinern Herz."

Schon stehn die beiden Sänger im hohen Säulensaal,
Und auf dem Throne sitzen der König und sein Gemahl :
Der König furchtbar prächtig wie blut'ger Nordlicht-
schein,
Die Königin süß und milde, als blickte Vollmond drein.

Da schlug der Greis die Saiten, er schlug sie wundervoll,
Daß reicher, immer reicher der Klang zum Ohre schwoll ;
Dann strömte himmlisch helle des Jünglings Stimme vor,
Des Alten Sang dazwischen wie dumpfer Geisterchor.

Sie singen von Lenz und Liebe, von sel'ger goldner Zeit,
Von Freiheit, Männerwürde, von Treu und Heiligkeit :
Sie singen von allem Süßen, was Menschenbrust durch-
    bebt,
Sie singen von allem Hohen, was Menschenherz erhebt.

Die Höflingsschar im Kreise verlernet jeden Spott ;
Des Königs trotz'ge Krieger, sie beugen sich vor Gott ;
Die Königin, zerflossen in Wehmut und in Lust,
Sie wirft den Sängern nieder die Rose von ihrer Brust.

" Ihr habt mein Volk verführet : verlockt ihr nun mein
    Weib ? "
Der König schreit es wütend, er bebt am ganzen Leib ;
Er wirft sein Schwert, das blitzend des Jünglings Brust
    durchdringt,
Draus statt der goldnen Lieder ein Blutstrahl hoch
    aufspringt.

Und wie vom Sturm zerstoben ist all der Hörer Schwarm.
Der Jüngling hat verröchelt in seines Meisters Arm :
Der schlägt um ihn den Mantel und setzt ihn auf das
    Roß ;
Er bind't ihn aufrecht feste, verläßt mit ihm das Schloß.

Doch vor dem hohen Tore, da hält der Sängergreis,
Da faßt er seine Harfe, sie, aller Harfen Preis :

An einer Marmorsäule, da hat er sie zerschellt ;
Dann ruft er, daß es schaurig durch Schloß und Gärten
    gellt :

" Weh euch, ihr stolzen Hallen !   Nie töne süßer Klang
Durch eure Räume wieder, nie Saite, noch Gesang,
Nein, Seufzer nur und Stöhnen und scheuer Sklaven-
    schritt,
Bis euch zu Schutt und Moder der Rachegeist zertritt !

" Weh euch, ihr duft'gen Gärten im holden Maienlicht !
Euch zeig' ich dieses Toten entstelltes Angesicht,
Daß ihr darob verdorret, daß jeder Quell versiegt,
Daß ihr in künft'gen Tagen versteint, verödet liegt.

" Weh dir, verruchter Mörder, du Fluch des Sängertums !
Umsonst sei all dein Ringen nach Kränzen blut'gen
    Ruhms :
Dein Name sei vergessen, in ew'ge Nacht getaucht,
Sei wie ein letztes Röcheln in leere Luft verhaucht ! "

Der Alte hat's gerufen, der Himmel hat's gehört,
Die Mauern liegen nieder, die Hallen sind zerstört ;
Noch eine hohe Säule zeugt von verschwundner Pracht ;
Auch diese, schon geborsten, kann stürzen über Nacht.

Und rings statt duft'ger Gärten ein ödes Heideland ;
Kein Baum verstreuet Schatten, kein Quell durchdringt
    den Sand ;
Des Königs Namen meldet kein Lied, kein Heldenbuch :
Versunken und vergessen !   Das ist des Sängers Fluch.

JOSEPH VON EICHENDORFF

65. DAS ZERBROCHENE RINGLEIN

In einem kühlen Grunde
Da geht ein Mühlenrad,
Mein' Liebste ist verschwunden,
Die dort gewohnet hat.

Sie hat mir Treu' versprochen,
Gab mir ein'n Ring dabei,
Sie hat die Treu' gebrochen,
Mein Ringlein sprang entzwei.

Ich möcht' als Spielmann reisen
Weit in die Welt hinaus,
Und singen meine Weisen,
Und gehn von Haus zu Haus.

Ich möcht' als Reiter fliegen
Wohl in die blut'ge Schlacht,
Um stille Feuer liegen
Im Feld bei dunkler Nacht.

Hör' ich das Mühlrad gehen,
Ich weiß nicht, was ich will—
Ich möcht' am liebsten sterben ;
Dann wär's auf einmal still !

66. SEHNSUCHT

Es schienen so golden die Sterne ;
Am Fenster ich einsam stand
Und hörte aus weiter Ferne
Ein Posthorn im stillen Land.
Das Herz mir im Leibe entbrennte,
Da hab' ich mir heimlich gedacht :
Ach, wer da mitreisen könnte
In der prächtigen Sommernacht !

Zwei junge Gesellen gingen
Vorüber am Bergeshang ;
Ich hörte im Wandern sie singen
Die stille Gegend entlang
Von schwindelnden Felsenschlüften,
Wo die Wälder rauschen so sacht,
Von Quellen, die von den Klüften
Sich stürzen in die Waldesnacht.

Sie sangen von Marmorbildern,
Von Gärten, die überm Gestein
In dämmernden Lauben verwildern,
Palästen im Mondenschein,
Wo die Mädchen am Fenster lauschen,
Wann der Lauten Klang erwacht,
Und die Brunnen verschlafen rauschen
In der prächtigen Sommernacht.

67. ABSCHIED

O TÄLER weit, o Höhen,
O schöner, grüner Wald,
Du meiner Lust und Wehen
Andächt'ger Aufenthalt !
Da draußen, stets betrogen,
Saust die geschäft'ge Welt ;
Schlag noch einmal die Bogen
Um mich, du grünes Zelt !

Wenn es beginnt zu tagen,
Die Erde dampft und blinkt,
Die Vögel lustig schlagen,
Daß dir dein Herz erklingt :
Da mag vergehn, verwehen
Das trübe Erdenleid,
Da sollst du auferstehen
In junger Herrlichkeit !

Da steht im Wald geschrieben
Ein stilles, ernstes Wort
Von rechtem Tun und Lieben,
Und was des Menschen Hort.
Ich habe treu gelesen
Die Worte, schlicht und wahr,
Und durch mein ganzes Wesen
Ward's unaussprechlich klar.

Bald werd' ich dich verlassen,
Fremd in der Fremde gehn,
Auf buntbewegten Gassen
Des Lebens Schauspiel sehn ;
Und mitten in dem Leben
Wird deines Ernsts Gewalt
Mich Einsamen erheben,
So wird mein Herz nicht alt.

68. AUF MEINES KINDES TOD

Von fern die Uhren schlagen,
Es ist schon tiefe Nacht,
Die Lampe brennt so düster,
Dein Bettlein ist gemacht.

Die Winde nur noch gehen
Wehklagend um das Haus,
Wir sitzen einsam drinne
Und lauschen oft hinaus.

Es ist, als müßtest leise
Du klopfen an die Tür,
Du hättst dich nur verirret,
Und kämst nun müd' zu mir.

Wir armen, armen Toren !
Wir irren ja im Graus
Des Dunkels noch verloren —
Du fandst dich längst nach Haus.

B.G.P.

FRIEDRICH RÜCKERT

69. BARBAROSSA

DER alte Barbarossa,
Der Kaiser Friederich,
Im unterird'schen Schlosse
Hält er verzaubert sich.

Er ist niemals gestorben,
Er lebt darin noch jetzt ;
Er hat im Schloß verborgen
Zum Schlaf sich hingesetzt.

Er hat hinabgenommen
Des Reiches Herrlichkeit,
Und wird einst wiederkommen
Mit ihr zu seiner Zeit.

Der Stuhl ist elfenbeinern,
Darauf der Kaiser sitzt ;
Der Tisch ist marmelsteinern,
Darauf sein Haupt er stützt.

Sein Bart ist nicht von Flachse,
Er ist von Feuersglut,
Ist durch den Tisch gewachsen,
Darauf sein Kinn ausruht.

Er nickt als wie im Traume,
Sein Aug' halb offen zwinkt ;
Und je nach langem Raume
Er einem Knaben winkt.

94

Er spricht im Schlaf zum Knaben :
" Geh hin vors Schloß, o Zwerg,
Und sieh, ob noch die Raben
Herfliegen um den Berg.

" Und wenn die alten Raben
Noch fliegen immerdar,
So muß ich auch noch schlafen
Verzaubert hundert Jahr'."

70. AUS DER JUGENDZEIT

Aus der Jugendzeit, aus der Jugendzeit
Klingt ein Lied mir immerdar ;
O wie liegt so weit, o wie liegt so weit,
Was mein einst war !

Was die Schwalbe sang, was die Schwalbe sang,
Die den Herbst und Frühling bringt ;
Ob das Dorf entlang, ob das Dorf entlang
Das jetzt noch klingt ?

" Als ich Abschied nahm, als ich Abschied nahm,
Waren Kisten und Kasten schwer ;
Als ich wiederkam, als ich wiederkam,
War alles leer."

O du Kindermund, o du Kindermund,
Unbewußter Weisheit froh,
Vogelsprachekund, vogelsprachekund
Wie Salomo !

O du Heimatflur, o du Heimatflur,
Laß zu deinem heil'gen Raum
Mich noch einmal nur, mich noch einmal nur
Entfliehn im Traum !

Als ich Abschied nahm, als ich Abschied nahm,
War die Welt mir voll so sehr ;
Als ich wiederkam, als ich wiederkam,
War alles leer.

Wohl die Schwalbe kehrt, wohl die Schwalbe kehrt,
Und der leere Kasten schwoll,
Ist das Herz geleert, ist das Herz geleert,
Wird's nicht mehr voll.

Keine Schwalbe bringt, keine Schwalbe bringt
Dir zurück, wonach du weinst ;
Doch die Schwalbe singt, doch die Schwalbe singt
Im Dorf wie einst :

" Als ich Abschied nahm, als ich Abschied nahm,
Waren Kisten und Kasten schwer ;
Als ich wiederkam, als ich wiederkam,
War alles leer."

71. AUS DER WEISHEIT DES BRAHMANEN

Sechs Wörter nehmen mich in Anspruch jeden Tag :
Ich soll, ich muß, ich kann, ich will, ich darf, ich mag.

Ich soll ist das Gesetz, von Gott ins Herz geschrieben,
Das Ziel, nach welchem ich bin von mir selbst getrieben.

Ich muß, das ist die Schrank', in welcher mich die Welt
Von einer, die Natur von andrer Seite hält.

Ich kann, das ist das Maß der mir verliehnen Kraft,
Der Tat, der Fertigkeit, der Kunst und Wissenschaft.

Ich will, die höchste Kron' ist dieses, die mich schmückt,
Der Freiheit Siegel, das mein Geist sich aufgedrückt.

Ich darf, das ist zugleich die Inschrift bei dem Siegel,
Beim aufgetanen Tor der Freiheit auch ein Riegel.

Ich mag, das endlich ist, was zwischen allen schwimmt,
Ein Unbestimmtes, das der Augenblick bestimmt.

Ich soll, ich muß, ich kann, ich will, ich darf, ich mag,
Die sechse nehmen mich in Anspruch jeden Tag.

Nur wenn du stets mich lehrst, weiß ich, was jeden Tag
Ich soll, ich muß, ich kann, ich will, ich darf, ich mag.

72. LIEBESFRÜHLING

Ich liebe dich, weil ich dich lieben muß ;
Ich liebe dich, weil ich nicht anders kann ;
Ich liebe dich nach einem Himmelsschluß ;
Ich liebe dich durch einen Zauberbann.

Dich lieb' ich, wie die Rose ihren Strauch ;
Dich lieb' ich, wie die Sonne ihren Schein ;
Dich lieb' ich, weil du bist mein Lebenshauch ;
Dich lieb' ich, weil dich lieben ist mein Sein.

FRANZ GRILLPARZER

73. ABSCHIED VON WIEN

Leb wohl, du stolze Kaiserstadt,
Zwar nicht auf immer, denk' ich ;
Zu andern Grenzen, lebensmatt,
Die irren Schritte lenk' ich.

Schön bist du, doch gefährlich auch,
Dem Schüler wie dem Meister,
Entnervend weht dein Sommerhauch,
Du Capua der Geister !

Auf deinen Fluren geht sich's weich,
Und Berg' und Wälder breiten
Rings um dich her ein Zauberreich,
Durch das die Ströme gleiten.

Weithin Musik, wie wenn im Baum
Der Vögel Chor erwachte,
Man spricht nicht, denkt wohl etwa kaum
Und fühlt das Halbgedachte.

Dazu ein Volk, ein wack'res Herz,
Verstand, und vom gesunden,
Das sich mit Märchen und mit Scherz
Der Wahrheit Bild umwunden.

Man lebt in halber Poesie,
Gefährlich für die ganze,
Und ist ein Dichter, ob man nie
An Vers gedacht und Stanze.

Doch weil, von so viel Schönheit voll,
Wir nur zu atmen brauchen,
Vergißt man, was zum Herzen quoll,
Auch wieder auszuhauchen.

Die Tafel bleibt, die Leinwand leer —
Drum fort aus diesen Gründen!
Ob von der Reiseluft Beschwer
Sich fest're Bilder ründen.

THEODORE KÖRNER

74. GEBET WÄHREND DER SCHLACHT

VATER, ich rufe dich!
Brüllend umwölkt mich der Dampf der Geschütze,
Sprühend umzucken mich rasselnde Blitze.
Lenker der Schlachten, ich rufe dich!
Vater du, führe mich!

Vater du, führe mich!
Führ' mich zum Siege, führ' mich zum Tode:
Herr, ich erkenne deine Gebote;
Herr, wie du willst, so führe mich.
Gott, ich erkenne dich!

Gott, ich erkenne dich!
So im herbstlichen Rauschen der Blätter
Als im Schlachtendonnerwetter,
Urquell der Gnade, erkenn' ich dich.
Vater du, segne mich!

Vater du, segne mich !
In deine Hand befehl' ich mein Leben,
Du kannst es nehmen, du hast es gegeben ;
Zum Leben, zum Sterben segne mich !
Vater, ich preise dich !

Vater, ich preise dich !
's ist ja kein Kampf für die Güter der Erde ;
Das Heiligste schützen wir mit dem Schwerte :
Drum, fallend und siegend, preis' ich dich.
Gott, dir ergeb' ich mich !

Gott, dir ergeb' ich mich !
Wenn mich die Donner des Todes begrüßen,
Wenn meine Adern geöffnet fließen :
Dir, mein Gott, dir ergeb' ich mich !
Vater, ich rufe dich !

WILHELM MÜLLER

75. WANDERSCHAFT

Das Wandern ist des Müllers Lust,
Das Wandern !
Das muß ein schlechter Müller sein,
Dem niemals fiel das Wandern ein,
Das Wandern.

Vom Wasser haben wir's gelernt,
Vom Wasser !
Das hat nicht Rast bei Tag und Nacht,
Ist stets auf Wanderschaft bedacht,
Das Wasser.

Das sehn wir auch den Rädern ab,
  Den Rädern!
Die gar nicht gerne stille stehn,
Die sich mein Tag nicht müde drehn,
  Die Räder.

Die Steine selbst, so schwer sie sind,
  Die Steine!
Sie tanzen mit den muntern Reih'n
Und wollen gar noch schneller sein,
  Die Steine.

O Wandern, Wandern, meine Lust,
  O Wandern!
Herr Meister und Frau Meisterin,
Laßt mich in Frieden weiter ziehn
  Und wandern.

76. WOHIN?

Ich hört' ein Bächlein rauschen
Wohl aus dem Felsenquell,
Hinab zum Tale rauschen,
So frisch und wunderhell.

Ich weiß nicht, wie mir wurde,
Nicht, wer den Rat mir gab,
Ich mußte gleich hinunter
Mit meinem Wanderstab.

Hinunter und immer weiter,
Und immer dem Bache nach ;
Und immer frischer rauschte
Und immer heller der Bach.

Ist das denn meine Straße ?
O Bächlein, sprich, wohin ?
Du hast mit deinem Rauschen
Mir ganz berauscht den Sinn.

Was sag' ich denn vom Rauschen ?
Das kann kein Rauschen sein.
Es singen wohl die Nixen
Dort unten ihren Reihn.

Laß singen, Gesell, laß rauschen,
Und wandre fröhlich nach !
Es gehen ja Mühlenräder
In jedem klaren Bach.

77. VINETA

Aus des Meeres tiefem, tiefem Grunde
Klingen Abendglocken dumpf und matt,
Uns zu geben wunderbare Kunde
Von der schönen alten Wunderstadt.

In der Fluten Schoß hinabgesunken
Blieben unten ihre Trümmer stehn ;
Ihre Zinnen lassen goldne Funken
Widerscheinend auf dem Spiegel sehn.

Und der Schiffer, der den Zauberschimmer
Einmal sah im hellen Abendrot,
Nach derselben Stelle schifft er immer,
Ob auch ringsumher die Klippe droht.

Aus des Herzens tiefem, tiefem Grunde
Klingt es mir wie Glocken, dumpf und matt ;
Ach, sie geben wunderbare Kunde
Von der Liebe, die geliebt es hat.

Eine schöne Welt ist da versunken,
Ihre Trümmer blieben unten stehn,
Lassen sich als goldne Himmelsfunken
Oft im Spiegel meiner Träume sehn.

Und dann möcht' ich tauchen in die Tiefen,
Mich versenken in den Widerschein,
Und mir ist, als ob mich Engel riefen
In die alte Wunderstadt herein.

AUGUST GRAF VON PLATEN

78. DAS GRAB IM BUSENTO

NÄCHTLICH am Busento lispeln bei Cosenza dumpfe
Lieder,
Aus den Wassern schallt es Antwort, und in Wirbeln
klingt es wieder.

Und den Fluß hinauf, hinunter ziehn die Schatten
tapfrer Goten,
Die den Alarich beweinen, ihres Volkes besten Toten.

Allzufrüh und fern der Heimat mußten hier sie ihn
  begraben,
Während noch die Jugendlocken seine Schulter blond
  umgaben.

Und am Ufer des Busento reihten sie sich um die
  Wette ;
Um die Strömung abzuleiten, gruben sie ein frisches
  Bette.

In der wogenleeren Höhlung wühlten sie empor die
  Erde,
Senkten tief hinein den Leichnam mit der Rüstung auf
  dem Pferde ;

Deckten dann mit Erde wieder ihn und seine stolze
  Habe,
Daß die hohen Stromgewächse wüchsen aus dem
  Heldengrabe.

Abgelenkt zum zweiten Male, ward der Fluß herbei-
  gezogen ;
Mächtig in ihr altes Bette schäumten die Busentowogen.

Und es sang ein Chor von Männern : " Schlaf in deinen
  Heldenehren !
Keines Römers schnöde Habsucht soll dir je das Grab
  versehren ! "

Sangen's, und die Lobgesänge tönten fort im Goten-
  heere ;
Wälze sie, Busentowelle, wälze sie von Meer zu Meere !

79. DER PILGRIM VOR ST. JUST
(24 FEBRUAR 1557.)

Nacht ist's, und Stürme sausen für und für ;
Hispan'sche Mönche, schließt mir auf die Tür !

Laßt hier mich ruhn, bis Glockenton mich weckt,
Der zum Gebet euch in die Kirche schreckt !

Bereitet mir, was euer Haus vermag,
Ein Ordenskleid und einen Sarkophag !

Gönnt mir die kleine Zelle, weiht mich ein !
Mehr als die Hälfte dieser Welt war mein.

Das Haupt, das nun der Schere sich bequemt,
Mit mancher Krone ward's bediademt.

Die Schulter, die der Kutte nun sich bückt,
Hat kaiserlicher Hermelin geschmückt.

Nun bin ich vor dem Tod den Toten gleich
Und fall in Trümmer, wie das alte Reich.

AUGUST HEINRICH HOFFMANN VON FALLERSLEBEN

80. DAS LIED DER DEUTSCHEN

DEUTSCHLAND, Deutschland über alles,
Über alles in der Welt,
Wenn es stets zu Schutz und Trutze
Brüderlich zusammen hält ;

Von der Maas bis an die Memel,
Von der Etsch bis an den Belt —
Deutschland, Deutschland über alles,
Über alles in der Welt !

Deutsche Frauen, deutsche Treue,
Deutscher Wein und deutscher Sang
Sollen in der Welt behalten
Ihren alten schönen Klang,
Uns zu edler Tat begeistern
Unser ganzes Leben lang —
Deutsche Frauen, deutsche Treue,
Deutscher Wein und deutscher Sang !

Einigkeit und Recht und Freiheit
Für das deutsche Vaterland —
Danach laßt uns alle streben
Brüderlich mit Herz und Hand !
Einigkeit und Recht und Freiheit
Sind des Glückes Unterpfand.
Blüh' im Glanze dieses Glückes,
Blühe, deutsches Vaterland !

ANNETTE VON DROSTE-HÜLSHOFF

81. DAS HAUS IN DER HEIDE

WIE lauscht, vom Abendschein umzuckt,
Die strohgedeckte Hütte,
Recht wie im Nest der Vogel duckt,
Aus dunkler Föhren Mitte !

duckt = liegt

Am Fensterloche streckt das Haupt
Die weißgestirnte Sterke
Bläst in den Abendduft und schnaubt
Und stößt ans Holzgewerke.

Seitab ein Gärtchen, dornumhegt,
Mit reinlichem Gelände,
Wo matt ihr Haupt die Glocke trägt,
Aufrecht die Sonnenwende.

Und drinnen kniet ein stilles Kind,
Das scheint den Grund zu jäten;
Nun pflückt sie eine Lilie lind
Und wandelt längs den Beeten.

Am Horizonte Hirten, die
Im Heidekraut sich strecken
Und mit des Aves Melodie
Träumende Lüfte wecken.

Und von der Tenne ab und an
Schallt es wie Hammerschläge,
Der Hobel rauscht, es fällt der Span,
Und langsam knarrt die Säge.

Da hebt der Abendstern gemach
Sich aus den Föhrenzweigen,
Und grade ob der Hütte Dach
Scheint er sich mild zu neigen.

Es ist ein Bild, wie still und heiß
Es alte Meister hegten,
Kunstvolle Mönche, und mit Fleiß
Es auf den Goldgrund legten:

Sonnenwende = Sonnenblume

Der Zimmermann, die Hirten gleich
Mit ihrem frommen Liede,
Die Jungfrau mit dem Lilienzweig,
Und rings der Gottesfriede,

Des Sternes wunderlich Geleucht
Aus zarten Wolkenfloren —
Ist etwa hier im Stall vielleicht
Christkindlein heut geboren ?

82. GETHSEMANE

Als Christus lag im Hain Gethsemane
Auf seinem Antlitz mit geschloßnen Augen,
Die Lüfte schienen Seufzer nur zu saugen,
Und eine Quelle murmelte ihr Weh,
Des Mondes blasse Scheibe widerscheinend ;
Da war die Stunde, wo ein Engel weinend
Von Gottes Throne ward herabgesandt,
Den bittern Leidenskelch in seiner Hand.

Und vor dem Heiland stieg das Kreuz empor,
Daran sah seinen eignen Leib er hangen,
Zerrissen, ausgespannt ; wie Stricke drangen
Die Sehnen an den Gliedern ihm hervor.
Die Nägel sah er ragen und die Krone
Auf seinem Haupte, wo an jedem Dorn
Ein Blutestropfen hing ; und wie im Zorn
Murrte der Donner mit verhaltnem Tone.

Ein Tröpfeln hört' er, und am Stamme leis'
Herniederglitt ein Wimmern, qualverloren ;
Da seufzte Christus, und aus allen Poren
Drang ihm der Schweiß.

Und dunkler ward die Nacht ; im grauen Meer
Schwamm eine tote Sonne ; kaum zu schauen
War noch des qualbewegten Hauptes Grauen,
Im Todeskampfe schwankend hin und her.
Am Kreuzesfuße lagen drei Gestalten ;
Er sah sie grau wie Nebelwolken liegen ;
Er hörte ihres schweren Odems Fliegen ;
Vor Zittern rauschten ihrer Kleider Falten.
O, welch ein Lieben war wie seines heiß !
Er kannte sie, er hat sie wohl erkannt ;
Das Menschenblut in seinen Adern stand,
Und stärker quoll der Schweiß.

Die Sonnenleiche schwand ; nur schwarzer Rauch ;
In ihm versunken Kreuz und Seufzerhauch.
Ein Schweigen, grauser als des Donners Ton,
Schwamm durch des Äthers sternenleere Gassen ;
Kein Lebenshauch auf weiter Erde mehr ;
Ringsum ein Krater, ausgebrannt und leer, —
Und eine hohle Stimme rief von oben :
" Mein Gott, mein Gott, wie hast du mich verlassen ! "
Da faßten den Erlöser Todeswehn ;
Da weinte Christus mit gebrochnem Munde :
" Herr, ist es möglich, so laß diese Stunde
An mir vorübergehn ! "

Ein Blitz durchfuhr die Nacht ; im Lichte schwamm
Das Kreuz, o, strahlend mit dem Marterzeichen !
Und Millionen Hände sah er reichen,
Sich angstvoll klammernd um den blut'gen Stamm,
O Händ' und Händchen aus den fernsten Zonen !
Und um die Krone schwebten Millionen
Noch ungeborner Seelen, Funken gleichend ;
Ein leiser Nebelrauch dem Grund entschleichend,
Stieg aus den Gräbern der Verstorbnen Flehn.
Da hob sich Christus in der Liebe Fülle,
Und : " Vater, Vater ! " rief er, " nicht mein Wille,
Der deine mag geschehn ! "
Still schwamm der Mond im Blau ; ein Lilienstengel
Stand vor dem Heiland im betauten Grün ;
Und aus dem Lilienkelche trat der Engel
Und stärkte ihn.

HEINRICH HEINE

83. DU BIST WIE EINE BLUME

Du bist wie eine Blume,
So hold und schön und rein ;
Ich schau' dich an, und Wehmut
Schleicht mir ins Herz hinein.

Mir ist, als ob ich die Hände
Aufs Haupt dir legen sollt',
Betend, daß Gott dich erhalte
So rein und schön und hold.

84. EIN FICHTENBAUM STEHT EINSAM

Ein Fichtenbaum steht einsam
Im Norden auf kahler Höh'.
Ihn schläfert ; mit weißer Decke
Umhüllen ihn Eis und Schnee.

Er träumt von einer Palme,
Die fern im Morgenland
Einsam und schweigend trauert
Auf brennender Felsenwand.

85. HERZ, MEIN HERZ, SEI NICHT BEKLOMMEN

Herz, mein Herz, sei nicht beklommen
Und ertrage dein Geschick.
Neuer Frühling gibt zurück,
Was der Winter dir genommen.

Und wie viel ist dir geblieben !
Und wie schön ist noch die Welt !
Und, mein Herz, was dir gefällt,
Alles, alles darfst du lieben !

86. DIE LORELEI

Ich weiß nicht, was soll es bedeuten,
Daß ich so traurig bin ;
Ein Märchen aus alten Zeiten,
Das kommt mir nicht aus dem Sinn.

Die Luft ist kühl, und es dunkelt,
Und ruhig fließt der Rhein ;
Der Gipfel des Berges funkelt
Im Abendsonnenschein.

Die schönste Jungfrau sitzet
Dort oben wunderbar,
Ihr goldnes Geschmeide blitzet,
Sie kämmt ihr goldenes Haar.

Sie kämmt es mit goldenem Kamme
Und singt ein Lied dabei ;
Das hat eine wundersame,
Gewaltige Melodei.

Den Schiffer im kleinen Schiffe
Ergreift es mit wildem Weh ;
Er schaut nicht die Felsenriffe,
Er schaut nur hinauf in die Höh'.

Ich glaube, die Wellen verschlingen
Am Ende Schiffer und Kahn ;
Und das hat mit ihrem Singen
Die Lorelei getan !

87. AUS ALTEN MÄRCHEN WINKT ES

Aus alten Märchen winkt es
Hervor mit weißer Hand,
Da singt es und da klingt es
Von einem Zauberland,

Wo große Blumen schmachten
Im goldnen Abendlicht,
Und zärtlich sich betrachten
Mit bräutlichem Gesicht ; —

Wo alle Bäume sprechen,
Und singen, wie ein Chor,
Und laute Quellen brechen
Wie Tanzmusik hervor ;

Und Liebesweisen tönen,
Wie du sie nie gehört,
Bis wundersüßes Sehnen
Dich wundersüß betört !

Ach, könnt' ich dorthin kommen,
Und dort mein Herz erfreun,
Und aller Qual entnommen,
Und frei und selig sein !

Ach ! jenes Land der Wonne,
Das seh' ich oft im Traum ;
Doch kommt die Morgensonne,
Zerfließt's wie eitel Schaum.

88. MEIN KIND, WIR WAREN KINDER

MEIN Kind, wir waren Kinder,
Zwei Kinder, klein und froh ;
Wir krochen ins Hühnerhäuschen,
Versteckten uns unter das Stroh.

Wir krähten wie die Hähne,
Und kamen Leute vorbei, —
" Kikeriki ! " sie glaubten,
Es wäre Hahnengeschrei.

Die Kisten auf unserem Hofe,
Die tapezierten wir aus,
Und wohnten drin beisammen,
Und machten ein vornehmes Haus.

Des Nachbars alte Katze
Kam öfters zum Besuch ;
Wir machten ihr Bückling' und Knickse
Und Komplimente genug.

Wir haben nach ihrem Befinden
Besorglich und freundlich gefragt ;
Wir haben seitdem dasselbe
Mancher alten Katze gesagt.

Wir saßen auch oft und sprachen
Vernünftig, wie alte Leut',
Und klagten, wie alles besser
Gewesen zu unserer Zeit ;

Wie Lieb' und Treu' und Glauben
Verschwunden aus der Welt,
Und wie so teuer der Kaffee,
Und wie so rar das Geld ! . . .

Vorbei sind die Kinderspiele,
Und alles rollt vorbei —
Das Geld und die Welt und die Zeiten
Und Glauben und Lieb' und Treu'.

89. DIE GRENADIERE

NACH Frankreich zogen zwei Grenadier',
Die waren in Rußland gefangen ;
Und als sie kamen ins deutsche Quartier,
Sie ließen die Köpfe hangen.

Da hörten sie beide die traurige Mär',
Daß Frankreich verloren gegangen,
Besiegt und zerschlagen das große Heer —
Und der Kaiser, der Kaiser gefangen.

Da weinten zusammen die Grenadier'
Wohl ob der kläglichen Kunde.
Der eine sprach : " Wie weh wird mir,
Wie brennt meine alte Wunde ! "

Der andre sprach : " Das Lied ist aus,
Auch ich möcht' mit dir sterben,
Doch hab' ich Weib und Kind zu Haus,
Die ohne mich verderben."

" Was schert mich Weib, was schert mich Kind ?
Ich trage weit bess'res Verlangen ;
Laß sie betteln gehn, wenn sie hungrig sind —
Mein Kaiser, mein Kaiser gefangen !

" Gewähr' mir, Bruder, eine Bitt' :
Wenn ich jetzt sterben werde,
So nimm meine Leiche nach Frankreich mit,
Begrab' mich in Frankreichs Erde.

" Das Ehrenkreuz am roten Band
Sollst du aufs Herz mir legen ;
Die Flinte gib mir in die Hand,
Und gürt' mir um den Degen.

" So will ich liegen und horchen still,
Wie eine Schildwach', im Grabe,
Bis einst ich höre Kanonengebrüll
Und wiehernder Rosse Getrabe.

" Dann reitet mein Kaiser wohl über mein Grab,
Viel Schwerter klirren und blitzen ;
Dann steig' ich gewaffnet hervor aus dem Grab —
Den Kaiser, den Kaiser zu schützen ! "

90. DIE WALLFAHRT NACH KEVLAAR

1

Am Fenster stand die Mutter,
Im Bette lag der Sohn.
" Willst du nicht aufstehn, Wilhelm,
Zu schaun die Prozession ? " —

" Ich bin so krank, o Mutter,
Daß ich nicht hör' und seh' ;
Ich denk' an das tote Gretchen,
Da tut das Herz mir weh." —

" Steh auf, wir wollen nach Kevlaar,
Nimm Buch und Rosenkranz ;
Die Mutter Gottes heilt dir
Dein krankes Herze ganz."

Es flattern die Kirchenfahnen,
Es singt im Kirchenton ;
Das ist zu Köln am Rheine
Da geht die Prozession.

Die Mutter folgt der Menge,
Den Sohn, den führet sie,
Sie singen beide im Chore :
" Gelobt seist du, Marie ! "

2

Die Mutter Gottes zu Kevlaar
Trägt heut' ihr bestes Kleid ;
Heut' hat sie viel zu schaffen,
Es kommen viel kranke Leut'.

Die kranken Leute bringen
Ihr dar, als Opferspend',
Aus Wachs gebildete Glieder,
Viel wächserne Füß' und Händ'.

Und wer eine Wachshand opfert,
Dem heilt an der Hand die Wund' ;
Und wer einen Wachsfuß opfert,
Dem wird der Fuß gesund.

Nach Kevlaar ging mancher auf Krücken,
Der jetzo tanzt auf dem Seil,
Gar mancher spielt jetzt die Bratsche,
Dem dort kein Finger war heil.

Die Mutter nahm ein Wachslicht
Und bildete draus ein Herz.
" Bring das der Mutter Gottes,
Dann heilt sie deinen Schmerz."

Der Sohn nahm seufzend das Wachsherz,
Ging seufzend zum Heiligenbild ;
Die Träne quillt aus dem Auge,
Das Wort aus dem Herzen quillt :

" Du Hochgebenedeite,
Du reine Gottesmagd,
Du Königin des Himmels,
Dir sei mein Leid geklagt !

" Ich wohnte mit meiner Mutter
Zu Köllen in der Stadt,
Der Stadt, die viele hundert
Kapellen und Kirchen hat.

" Und neben uns wohnte Gretchen,
Doch die ist tot jetzund —
Marie, dir bring' ich ein Wachsherz,
Heil' du meine Herzenswund' !

" Heil' du mein krankes Herze—
Ich will auch spät und früh
Inbrünstiglich beten und singen :
Gelobt seist du, Marie ! "

3

Der kranke Sohn und die Mutter,
Die schliefen im Kämmerlein ;
Da kam die Mutter Gottes
Ganz leise geschritten herein.

Sie beugte sich über den Kranken
Und legte ihre Hand
Ganz leise auf sein Herze
Und lächelte mild und schwand.

Die Mutter schaut alles im Traume
Und hat noch mehr geschaut ;
Sie erwachte aus dem Schlummer,
Die Hunde bellten so laut.

Da lag dahingestrecket
Ihr Sohn, und der war tot ;
Es spielt' auf den bleichen Wangen
Das lichte Morgenrot.

Die Mutter faltet die Hände,
Ihr war, sie wußte nicht wie ;
Andächtig sang sie leise :
" Gelobt seist du, Marie ! "

91. DIE NACHT AM STRANDE

STERNLOS und kalt ist die Nacht,
Es gärt das Meer ;
Und über dem Meer, platt auf dem Bauch,
Liegt der ungestaltete Nordwind,
Und heimlich, mit ächzend gedämpfter Stimme
Wie 'n störriger Griesgram, der gut gelaunt wird,
Schwatzt er ins Wasser hinein
Und erzählt viel tolle Geschichten,
Riesenmärchen, totschlaglaunig,
Uralte Sagen aus Norweg :
Und dazwischen, weitschallend, lacht er und heult er
Beschwörungslieder der Edda,
Auch Runensprüche,
So dunkeltrotzig und zaubergewaltig,
Daß die weißen Meerkinder
Hoch aufspringen und jauchzen,
Übermut-berauscht.

92. STURM

Es wütet der Sturm,
Und er peitscht die Wellen,
Und die Wellen, wutschäumend und bäumend,
Türmen sich auf, und es wogen lebendig
Die weißen Wasserberge,
Und das Schifflein erklimmt sie,
Hastig mühsam,
Und plötzlich stürzt es hinab
In schwarze, weitgähnende Flutabgründe. —

O Meer!
Mutter der Schönheit, der Schaumentstiegenen!
Großmutter der Liebe! schone meiner!
Schon flattert, leichenwitternd,
Die weiße, gespenstische Möwe
Und wetzt an dem Mastbaum den Schnabel
Und lechzt voll Fraßbegier nach dem Herzen,
Das vom Ruhm deiner Tochter ertönt,
Und das dein Enkel, der kleine Schalk,
Zum Spielzeug erwählt.

Vergebens mein Bitten und Flehn!
Mein Rufen verhallt im tosenden Sturm,
Im Schlachtlärm der Winde.
Es braust und pfeift und prasselt und heult,
Wie ein Tollhaus von Tönen!
Und zwischendurch hör' ich vernehmbar
Lockende Harfenlaute,
Sehnsuchtwilden Gesang,
Seelenschmelzend und seelenzerreißend,
Und ich erkenne die Stimme.

Fern an schottischer Felsenküste,
Wo das graue Schlößlein hinausragt
Über die brandende See,
Dort, am hochgewölbten Fenster,
Steht eine schöne, kranke Frau,
Zartdurchsichtig und marmorblaß,
Und sie spielt die Harfe und singt,
Und der Wind durchwühlt ihre langen Locken
Und trägt ihr dunkles Lied
Über das weite, stürmende Meer.

NIKOLAUS LENAU

93. DER POSTILLON

LIEBLICH war die Maiennacht,
Silberwölklein flogen,
Ob der holden Frühlingspracht
Freudig hingezogen.

Schlummernd lagen Wies' und Hain,
Jeder Pfad verlassen;
Niemand als der Mondenschein
Wachte auf der Straßen.

Leise nur das Lüftchen sprach,
Und es zog gelinder
Durch das stille Schlafgemach
All der Frühlingskinder.

Heimlich nur das Bächlein schlich,
Denn der Blüten Träume
Dufteten gar wonniglich
Durch die stillen Räume.

Rauher war mein Postillon,
Ließ die Geißel knallen,
Über Berg und Tal davon
Frisch sein Horn erschallen.

Und von flinken Rossen vier
Scholl der Hufe Schlagen,
Die durchs blühende Revier
Trabten mit Behagen.

Wald und Flur im schnellen Zug
Kaum gegrüßt — gemieden ;
Und vorbei wie Traumesflug
Schwand der Dörfer Frieden.

Mitten in dem Maienglück
Lag ein Kirchhof innen,
Der den raschen Wanderblick
Hielt zu ernstem Sinnen.

Hingelehnt an Bergesrand
War die bleiche Mauer,
Und das Kreuzbild Gottes stand
Hoch in stummer Trauer.

Schwager ritt auf seiner Bahn
Stiller jetzt und trüber ;
Und die Rosse hielt er an,
Sah zum Kreuz hinüber :

" Halten muß hier Roß und Rad,
Mag's Euch nicht gefährden !
Drüben liegt mein Kamerad
In der kühlen Erden.

"Ein gar herzlieber Gesell' !
Herr, 's ist ewig schade !
Keiner blies das Horn so hell
Wie mein Kamerade.

" Hier ich immer halten muß,
Dem dort unterm Rasen
Zum getreuen Brudergruß
Sein Leiblied zu blasen."

Und dem Kirchhof sandt' er zu
Frohe Wandersänge,
Daß es in die Grabesruh'
Seinem Bruder dränge.

Und des Hornes heller Ton
Klang vom Berge wider,
Ob der tote Postillon
Stimmt' in seine Lieder. —

Weiter ging's durch Feld und Hag
Mit verhängtem Zügel ;
Lang' mir noch im Ohre lag
Jener Klang vom Hügel.

94. DIE DREI ZIGEUNER

DREI Zigeuner fand ich einmal
Liegen an einer Weide,
Als mein Fuhrwerk mit müder Qual
Schlich durch sandige Heide.

Hielt der eine für sich allein
In den Händen die Fiedel,
Spielte, umglüht vom Abendschein,
Sich ein feuriges Liedel.

Hielt der zweite die Pfeif' im Mund,
Blickte nach seinem Rauche,
Froh, als ob er vom Erdenrund
Nichts zum Glücke mehr brauche.

Und der dritte behaglich schlief,
Und sein Zimbel am Baum hing,
Über die Saiten der Windhauch lief,
Über sein Herz ein Traum ging.

An den Kleidern trugen die drei
Löcher und bunte Flicken,
Aber sie boten trotzig frei
Spott den Erdengeschicken.

Dreifach haben sie mir gezeigt,
Wenn das Leben uns nachtet,
Wie man's verraucht, verschläft, vergeigt
Und es dreimal verachtet.

Nach den Zigeunern lang noch schaun
Mußt' ich im Weiterfahren,
Nach den Gesichtern dunkelbraun,
Den schwarzlockigen Haaren.

WILHELM HAUFF

95. REITERS MORGENGESANG

Morgenrot,
Leuchtest mir zum frühen Tod ?
Bald wird die Trompete blasen ;
Dann muß ich mein Leben lassen,
Ich und mancher Kamerad.

B.G.P.

Kaum gedacht,
Wird der Lust ein End' gemacht;
Gestern noch auf stolzen Rossen,
Heute durch die Brust geschossen,
Morgen in das kühle Grab.

Ach, wie bald
Schwindet Schönheit und Gestalt!
Tust du stolz mit deinen Wangen,
Die wie Milch und Purpur prangen?
Ach, die Rosen welken all!

Darum still
Füg' ich mich, wie Gott es will.
Nun, so will ich wacker streiten;
Und sollt' ich den Tod erleiden,
Stirbt ein braver Reitersmann.

JULIUS MOSEN

96. ANDREAS HOFER

Zu Mantua in Banden
Der treue Hofer war,
In Mantua zum Tode
Führt' ihn der Feinde Schar;
Es blutete der Brüder Herz,
Ganz Deutschland, ach! in Schmach und Schmerz,
Mit ihm das Land Tirol.

Die Hände auf dem Rücken,
Andreas Hofer ging
Mit ruhig festen Schritten,
Ihm schien der Tod gering ;
Der Tod, den er so manches Mal
Vom Iselberg geschickt ins Tal
Im heil'gen Land Tirol.

Doch als aus Kerkergittern
Im festen Mantua
Die treuen Waffenbrüder
Die Händ' er strecken sah,
Da rief er aus : " Gott sei mit euch,
Mit dem verrat'nen deutschen Reich
Und mit dem Land Tirol ! "

Dem Tambour will der Wirbel
Nicht unterm Schlegel vor,
Als nun Andreas Hofer
Schritt durch das finstre Tor.
Andreas, noch in Banden frei,
Dort stand er fest auf der Bastei,
Der Mann vom Land Tirol.

Dort soll er niederknieen ;
Er sprach : " Das tu' ich nit !
Will sterben, wie ich stehe,
Will sterben, wie ich stritt,
So wie ich steh' auf dieser Schanz' ;
Es leb' mein guter Kaiser Franz,
Mit ihm sein Land Tirol ! "

Und von der Hand die Binde
Nimmt ihm der Korporal ;
Andreas Hofer betet
Allhier zum letztenmal ;
Dann ruft er : " Nun, so trefft mich recht !
Gebt Feuer ! — Ach ! wie schießt ihr schlecht !
Ade, mein Land Tirol ! "

EDUARD MÖRIKE

97. SCHÖN-ROHTRAUT

WIE heißt König Ringangs Töchterlein ?
    Rohtraut, Schön-Rohtraut.
Was tut sie denn den ganzen Tag,
Da sie wohl nicht spinnen und nähen mag ?
    Tut fischen und jagen.
O daß ich doch ihr Jäger wär' !
Fischen und jagen freute mich sehr.
    — Schweig stille, mein Herze !

Und über eine kleine Weil',
    Rohtraut, Schön-Rohtraut,
So dient der Knab' auf Ringangs Schloß
In Jägertracht und hat ein Roß,
    Mit Rohtraut zu jagen.
O daß ich doch ein Königssohn wär' !
Rohtraut, Schön-Rohtraut lieb' ich so sehr.
    — Schweig stille, mein Herze !

Einsmals sie ruhten am Eichenbaum,
   Da lacht Schön-Rohtraut :
" Was siehst mich an so wunniglich ?
Wenn du das Herz hast, küsse mich ! "
   Ach ! erschrak der Knabe !
Doch denket er : mir ist's vergunnt,
Und küsset Schön-Rohtraut auf den Mund.
   — Schweig stille, mein Herze !

Darauf sie ritten schweigend heim,
   Rohtraut, Schön-Rohtraut ;
Es jauchzt der Knab' in seinem Sinn :
" Und würd'st du heute Kaiserin,
   Mich sollt's nicht kränken :
Ihr tausend Blätter im Walde wißt,
Ich hab' Schön-Rohtrauts Mund geküßt ! "
   — Schweig stille, mein Herze !

98. DENK ES, O SEELE !

   EIN Tännlein grünet wo,
   Wer weiß, im Walde ;
   Ein Rosenstrauch, wer sagt,
   In welchem Garten ?
   Sie sind erlesen schon,
   Denk es, o Seele,
   Auf deinem Grab zu wurzeln
   Und zu wachsen.

wunniglich = wonniglich   vergunnt = vergönnt

Zwei schwarze Rößlein weiden
Auf der Wiese,
Sie kehren heim zur Stadt
In muntern Sprüngen.
Sie werden schrittweis gehn
Mit deiner Leiche ;
Vielleicht, vielleicht noch eh'
An ihren Hufen
Das Eisen los wird,
Das ich blitzen sehe !

99. GESANG ZU ZWEIEN IN DER NACHT

SIE

WIE süß der Nachtwind nun die Wiese streift
Und klingend jetzt den jungen Hain durchläuft !
Da noch der freche Tag verstummt,
Hört man der Erdenkräfte flüsterndes Gedränge,
Das aufwärts in die zärtlichen Gesänge
Der reingestimmten Lüfte summt.

ER

Vernehm' ich doch die wunderbarsten Stimmen,
Vom lauen Wind wollüstig hingeschleift,
Indes, mit ungewissem Licht gestreift,
Der Himmel selber scheinet hinzuschwimmen.

SIE

Wie ein Gewebe zuckt die Luft manchmal,
Durchsichtiger und heller aufzuwehen ;
Dazwischen hört man weiche Töne gehen
Von sel'gen Feen, die im blauen Saal
Zum Sphärenklang,
Und fleißig mit Gesang,
Silberne Spindeln hin und wieder drehen.

ER

O holde Nacht, du gehst mit leisem Tritt
Auf schwarzem Samt, der nur am Tage grünet,
Und luftig schwirrender Musik bedienet
Sich nun dein Fuß zum leichten Schritt,
Womit du Stund' um Stunde missest,
Dich lieblich in dir selbst vergissest —
Du schwärmst, es schwärmt der Schöpfung Seele mit.

100. DAS VERLASSENE MÄGDLEIN

Früh, wann die Hähne krähn,
Eh' die Sternlein verschwinden,
Muß ich am Herde stehn,
Muß Feuer zünden.

Schön ist der Flammen Schein,
Es springen die Funken ;
Ich schaue so drein,
In Leid versunken.

Plötzlich, da kommt es mir,
Treuloser Knabe,
Daß ich die Nacht von dir
Geträumet habe.

Träne auf Träne dann
Stürzet hernieder ;
So kommt der Tag heran —
O ging' er wieder !

ERNST VON FEUCHTERSLEBEN

101. NACH ALTDEUTSCHER WEISE

Es ist bestimmt in Gottes Rat,
Daß man, was man am liebsten hat,
Muß meiden ;
Wiewohl nichts in dem Lauf der Welt
Dem Herzen, ach ! so sauer fällt,
Als Scheiden ! ja Scheiden !

So dir geschenkt ein Knösplein was,
So tu es in ein Wasserglas —
Doch wisse :
Blüht morgen dir ein Röslein auf,
Es welkt wohl noch die Nacht darauf ;
Das wisse ! ja wisse !

so = wenn   was = war

Und hat dir Gott ein Lieb beschert,
Und hältst du sie recht innig wert,
Die Deine —
Es werden wohl acht Bretter sein,
Da legst du sie, wie bald ! hinein ;
Dann weine ! ja weine !

Nur mußt du mich auch recht verstehn,
Ja, recht verstehn !
Wenn Menschen auseinandergehn,
So sagen sie : Auf Wiedersehn !
Ja, Wiedersehn !

FERDINAND FREILIGRATH

102. DER LIEBE DAUER

O lieb', solang du lieben kannst !
O lieb', solang du lieben magst !
Die Stunde kommt, die Stunde kommt,
Wo du an Gräbern stehst und klagst.

Und sorge, daß dein Herze glüht
Und Liebe hegt und Liebe trägt,
Solang ihm noch ein andres Herz
In Liebe warm entgegenschlägt !

Und wer dir seine Brust erschließt,
O tu ihm, was du kannst, zulieb,
Und mach' ihm jede Stunde froh
Und mach' ihm keine Stunde trüb !

Und hüte deine Zunge wohl!
Bald ist ein böses Wort gesagt.
O Gott, es war nicht bös gemeint —
Der andre aber geht und klagt.

O lieb', solang du lieben kannst!
O lieb', solang du lieben magst!
Die Stunde kommt, die Stunde kommt,
Wo du an Gräbern stehst und klagst.

Dann kniest du nieder an der Gruft
Und birgst die Augen trüb und naß,
— Sie sehn den andern nimmermehr —
Ins lange, feuchte Kirchhofsgras.

Und sprichst: O schau' auf mich herab,
Der hier an deinem Grabe weint!
Vergib, daß ich gekränkt dich hab'!
O Gott, es war nicht bös gemeint!

Er aber sieht und hört dich nicht,
Kommt nicht, daß du ihn froh umfängst,
Der Mund, der oft dich küßte, spricht
Nie wieder: " Ich vergab dir längst."

Er tat's, vergab dir lange schon,
Doch manche heiße Träne fiel
Um dich und um dein herbes Wort.
Doch still — er ruht, er ist am Ziel.

O lieb', solang du lieben kannst !
O lieb', solang du lieben magst !
Die Stunde kommt, die Stunde kommt,
Wo du an Gräbern stehst und klagst.

FRIEDRICH HEBBEL

103. DAS HAUS AM MEER

Hart an des Meeres Strande
   Baut man ein festes Haus ;
Als sollt' es ewig dauern,
So heben die trotz'gen Mauern
   Sich in das Land hinaus.

Mächtige Hammerschläge
   Erdröhnen schwer und voll ;
Die Sägen knarren und zischen,
Verworren hört man dazwischen
   Der Wogen dumpf Geroll.

Durch das Gebälke klettert
   Ein rüst'ger Zimmermann ;
Der Wind, der sich erhoben,
Zerreißt mit seinem Toben
   Das Lied, das er begann.

Ich bin hineingetreten ;
   Daß solch ein Werk gedeiht,
Das ist an Gott gelegen ;
Zu beten um seinen Segen,
   Nehm' ich mir gern die Zeit.

Die Fenster gehen alle
　　Hinaus auf die wilde See ;
Noch sind sie nicht verschlossen,
Eine Möwe kommt geschossen
　　Durch das, an dem ich steh'.

Hier will der Bewohner schlafen ;
　　Schon wird in dem luft'gen Raum
Die Bettstatt aufgeschlagen ;
Da ahn' ich mit stillem Behagen
　　Voraus gar manchen Traum.

Doch wende ich mein Auge,
　　Fällt's auf gar manches Riff,
Ich sehe des Meeres Tosen,
Drüben im Grenzenlosen
　　Durchbricht den Nebel ein Schiff.

Wer ist's denn, der am Strande,
　　Am öden, sein Haus sich baut ?
" Ein Schiffer ;　seit vielen Jahren
Hat er das Meer befahren,
　　Nun ist's ihm lieb und vertraut.

" ' Dies ist die letzte Reise,
　　Ich fühl' mich alt und müd',
Daß ich mein Nest dann finde,
Hobelt und hämmert geschwinde ! '
　　So sprach er, als er schied.

" Jetzt kann er stündlich kehren,
　　Er ist schon lange fort,
Drum müssen wir alle eilen ! "
Des schwellenden Sturmwinds Heulen
　　Verschlingt des Zimm'rers Wort.

Die Wolken ballen sich dräuend,
　　Riesige Wogen erstehn,
Aufgerüttelt von Stürmen,
Schrecklich, wenn sie sich türmen,
　　Schrecklicher, wenn sie zergehn.

Das Schiff dort, kraftlos ringend,
　　Ihr Spiel jetzt, bald ihr Raub,
Muß gegen die Felsen prallen,
Schon hör' ich den Notschuß fallen,
　　Was hilft es ?　Gott ist taub.

Ich fürchte, das ist der Schiffer,
　　Dem man dies Bett bestellt,
Der Zimm'rer mit dem Hammer
Befestigt die letzte Klammer,
　　Während das Schiff zerschellt.

103A. KINDER

KINDER sind Rätsel von Gott und schwerer als alle zu lösen,
　Aber der Liebe gelingt's, wenn sie sich selber bezwingt.

dräuend = drohend

EMANUEL GEIBEL

104. DER MAI IST GEKOMMEN

Der Mai ist gekommen, die Bäume schlagen aus,
Da bleibe, wer Lust hat, mit Sorgen zu Haus!
Wie die Wolken wandern am himmlischen Zelt,
So steht auch mir der Sinn in die weite, weite Welt.

Herr Vater, Frau Mutter, daß Gott euch behüt'!
Wer weiß, wo in der Ferne mein Glück mir noch blüht!
Es gibt so manche Straße, die nimmer ich marschiert,
Es gibt so manchen Wein, den ich nimmer noch probiert.

Frisch auf drum, frisch auf im hellen Sonnenstrahl!
Wohl über die Berge, wohl durch das tiefe Tal!
Die Quellen erklingen, die Bäume rauschen all,
Mein Herz ist wie 'ne Lerche und stimmet ein mit Schall.

Und abends im Städtlein da kehr' ich durstig ein:
" Herr Wirt, Herr Wirt, eine Kanne blanken Wein!
Ergreife die Fiedel, du lust'ger Spielmann du,
Von meinem Schatz das Liedel, das sing' ich dazu."

Und find' ich keine Herberg', so lieg' ich zu Nacht
Wohl unter blauem Himmel, die Sterne halten Wacht;
Im Winde die Linde, die rauscht mich ein gemach,
Es küsset in der Früh' das Morgenrot mich wach.

schlagen aus = treiben Blüte   Liedel = Liedchen
rauscht mich ein = lullt mich mit Rauschen in Schlaf

O Wandern, o Wandern, du freie Burschenlust!
Da wehet Gottes Odem so frisch in die Brust ;
Da singet und jauchzet das Herz zum Himmelszelt :
Wie bist du doch so schön, o du weite, weite Welt!

105. O DU, VOR DEM DIE STÜRME SCHWEIGEN

O DU, vor dem die Stürme schweigen,
Vor dem das Meer versinkt in Ruh',
Dies wilde Herz nimm hin zu eigen
Und führ' es deinem Frieden zu ;
Dies Herz, das ewig umgetrieben
Entlodert allzurasch entfacht,
Und ach, mit seinem irren Lieben
Sich selbst und andre elend macht.

Entreiß es, Herr, dem Sturm der Sinne,
Der Wünsche treulos schwankem Spiel ;
Dem dunkeln Drange seiner Minne,
Gib ihm ein unvergänglich Ziel ;
Auf das es, los vom Augenblicke,
Von Zweifel, Angst und Reue frei,
Sich einmal ganz und voll erquicke,
Und endlich, endlich stille sei.

THEODOR STORM

106. OKTOBERLIED

Der Nebel steigt, es fällt das Laub ;
Schenk' ein den Wein, den holden !
Wir wollen uns den grauen Tag
Vergolden, ja vergolden !

Und geht es draußen noch so toll,
Unchristlich oder christlich,
Ist doch die Welt, die schöne Welt,
So gänzlich unverwüstlich.

Und wimmert auch einmal das Herz,
Stoß an und laß es klingen !
Wir wissen's doch, ein rechtes Herz
Ist gar nicht umzubringen.

Der Nebel steigt, es fällt das Laub ;
Schenk' ein den Wein, den holden !
Wir wollen uns den grauen Tag
Vergolden, ja vergolden !

Wohl ist es Herbst ; doch warte nur,
Doch warte nur ein Weilchen !
Der Frühling kommt, der Himmel lacht,
Es steht die Welt in Veilchen.

Die blauen Tage brechen an ;
Und ehe sie verfließen,
Wir wollen sie, mein wackrer Freund,
Genießen, ja genießen !

140

107. DIE STADT

Am grauen Strand, am grauen Meer
Und seitab liegt die Stadt ;
Der Nebel drückt die Dächer schwer,
Und durch die Stille braust das Meer
Eintönig um die Stadt.

Es rauscht kein Wald, es schlägt im Mai
Kein Vogel ohn' Unterlaß ;
Die Wandergans mit hartem Schrei
Nur fliegt in Herbstesnacht vorbei,
Am Strande weht das Gras.

Doch hängt mein ganzes Herz an dir,
Du graue Stadt am Meer ;
Der Jugend Zauber für und für
Ruht lächelnd doch auf dir, auf dir,
Du graue Stadt am Meer.

MAX SCHNECKENBURGER

108. DIE WACHT AM RHEIN

Es braust ein Ruf wie Donnerhall,
Wie Schwertgeklirr und Wogenprall :
" Zum Rhein, zum Rhein, zum deutschen Rhein
Wer will des Stromes Hüter sein ? "

Lieb Vaterland, magst ruhig sein,
Fest steht und treu die Wacht am Rhein !

Durch Hunderttausend zuckt es schnell,
Und aller Augen blitzen hell :
Der deutsche Jüngling, fromm und stark,
Beschirmt die heil'ge Landesmark.
  Lieb Vaterland, magst ruhig sein,
  Fest steht und treu die Wacht am Rhein !

Er blickt hinauf in Himmelsau'n,
Wo Heldengeister niederschau'n,
Und schwört mit stolzer Kampfeslust :
" Du, Rhein, bleibst deutsch wie meine Brust !
  Lieb Vaterland, magst ruhig sein,
  Fest steht und treu die Wacht am Rhein !

" Und ob mein Herz im Tode bricht,
Wirst du doch drum ein Welscher nicht.
Reich, wie an Wasser deine Flut,
Ist Deutschland ja an Heldenblut.
  Lieb Vaterland, magst ruhig sein,
  Fest steht und treu die Wacht am Rhein !

" So lang' ein Tropfen Blut noch glüht,
Noch eine Faust den Degen zieht,
Und noch ein Arm die Büchse spannt,
Betritt kein Feind hier deinen Strand !
  Lieb Vaterland, magst ruhig sein,
  Fest steht und treu die Wacht am Rhein ! "

Der Schwur erschallt, die Woge rinnt,
Die Fahnen flattern hoch im Wind :
Zum Rhein, zum Rhein, zum deutschen Rhein !
Wir alle wollen Hüter sein !
  Lieb Vaterland, magst ruhig sein,
    Fest steht und treu die Wacht am Rhein !

GOTTFRIED KELLER

109. SOMMERNACHT

Es wallt das Korn weit in die Runde,
Und wie ein Meer dehnt es sich aus ;
Doch liegt auf seinem stillen Grunde
Nicht Seegewürm, noch andrer Graus :
Da träumen Blumen nur von Kränzen
Und trinken der Gestirne Schein.
O goldnes Meer, dein friedlich Glänzen
Saugt meine Seele gierig ein !

In meiner Heimat grünen Talen
Da herrscht ein alter schöner Brauch :
Wann hell die Sommersterne strahlen,
Der Glühwurm schimmert durch den Strauch,
Dann geht ein Flüstern und ein Winken,
Das sich dem Ährenfelde naht,
Da geht ein nächtlich Silberblinken
Von Sicheln durch die goldne Saat.

Das sind die Bursche, jung und wacker,
Die sammeln sich im Feld zuhauf
Und suchen den gereiften Acker
Der Witwe oder Waise auf,
Die keines Vaters, keiner Brüder
Und keines Knechtes Hilfe weiß —
Ihr schneiden sie den Segen nieder,
Die reinste Lust ziert ihren Fleiß.

Schon sind die Garben festgebunden
Und rasch in einen Ring gebracht ;
Wic lieblich floh'n die stillen Stunden,
Es war ein Spiel in kühler Nacht !
Nun wird geschwärmt und hell gesungen
Im Garbenkreis, bis Morgenluft
Die nimmermüden braunen Jungen
Zur eignen schweren Arbeit ruft'.

THEODOR FONTANE

110. ARCHIBALD DOUGLAS

" Ich hab' es getragen sieben Jahr',
Und ich kann es nicht tragen mehr ;
Wo immer die Welt am schönsten war,
Da war sie öd' und leer.

Ich will hintreten vor sein Gesicht
In dieser Knechtsgestalt ;

zuhauf = zusammen

Er kann meine Bitte versagen nicht,
Ich bin ja worden alt.

Und trüg' er noch den alten Groll,
Frisch wie am ersten Tag,
So komme, was da kommen soll,
Und komme, was da mag."

Graf Douglas spricht's. Am Weg ein Stein
Lud ihn zu harter Ruh',
Er sah in Wald und Feld hinein,
Die Augen fielen ihm zu.

Er trug einen Harnisch, rostig und schwer,
Darüber ein Pilgerkleid—
Da horch, vom Waldrand scholl es her
Wie von Hörnern und Jagdgeleit.

Und Kies und Staub aufwirbelte dicht,
Herjagte Meut' und Mann,
Und ehe der Graf sich aufgericht't,
Waren Roß und Reiter heran.

König Jakob saß auf hohem Roß,
Graf Douglas grüßte tief,
Dem König das Blut in die Wange schoß,
Der Douglas aber rief :

" König Jakob, schaue mich gnädig an
Und höre mich in Geduld !
Was meine Brüder dir angetan,
Es war nicht meine Schuld.

" Denk nicht an den alten Douglas-Neid,
Der trotzig dich bekriegt ;
Denk lieber an deine Kinderzeit,
Wo ich dich auf den Knieen gewiegt.

" Denk lieber zurück an Stirling-Schloß,
Wo ich Spielzeug dir geschnitzt,
Dich gehoben auf deines Vaters Roß
Und Pfeile dir zugespitzt.

" Denk lieber zurück an Linlithgow,
An den See und den Vogelherd,
Wo ich dich fischen und jagen froh
Und schwimmen und springen gelehrt.

" O denk an alles, was einsten war,
Und sänftige deinen Sinn ;
Ich hab' es gebüßet sieben Jahr',
Daß ich ein Douglas bin."

" Ich seh' dich nicht, Graf Archibald,
Ich hör' deine Stimme nicht,
Mir ist, als ob ein Rauschen im Wald
Von alten Zeiten spricht.

" Mir klingt das Rauschen süß und traut,
Ich lausch' ihm immer noch ;
Dazwischen aber klingt es laut :
Er ist ein Douglas doch.

" Ich seh' dich nicht, ich höre dich nicht,
Das ist alles, was ich kann ;
Ein Douglas vor meinem Angesicht
Wär' ein verlorener Mann."

König Jakob gab seinem Roß den Sporn,
Bergan ging jetzt sein Ritt,
Graf Douglas faßte den Zügel vorn
Und hielt mit dem Könige Schritt.

Der Weg war steil, und die Sonne stach,
Und sein Panzerhemd war schwer,
Doch ob er schier zusammenbrach,
Er lief doch nebenher.

" König Jakob, ich war dein Seneschall,
Ich will es nicht fürder sein,
Ich will nur warten dein Roß im Stall
Und ihm schütten die Körner ein.

" Ich will ihm selber machen die Streu
Und es tränken mit eigner Hand,
Nur laß mich atmen wieder aufs neu
Die Luft im Vaterland.

" Und willst du nicht, so hab' einen Mut,
Und ich will es danken dir,
Und zieh dein Schwert und triff mich gut
Und laß mich sterben hier ! "

König Jakob sprang herab vom Pferd,
Hell leuchtete sein Gesicht,
Aus der Scheide zog er sein breites Schwert,
Aber fallen ließ er es nicht.

" Nimm's hin, nimm's hin und trag es neu
Und bewache mir meine Ruh' !
Der ist in tiefster Seele treu,
Wer die Heimat liebt wie du.

" Zu Roß, wir reiten nach Linlithgow,
Und du reitest an meiner Seit' ;
Da wollen wir fischen und jagen froh,
Als wie in alter Zeit."

HERMANN LINGG

111. HEIMKEHR

In meine Heimat kam ich wieder ;
Es war die alte Heimat noch,
Dieselbe Luft, dieselben Lieder,
Und alles war ein andres doch.

Die Welle rauschte wie vorzeiten,
Am Waldweg sprang wie sonst das Reh,
Von fern erklang ein Abendläuten,
Die Berge glänzten aus dem See.

Doch vor dem Haus, wo uns vor Jahren
Die Mutter stets empfing, dort sah
Ich fremde Menschen fremd gebaren ;
Wie weh, wie weh mir da geschah !

Mir war, als rief es aus den Wogen :
" Flieh, flieh, und ohne Wiederkehr !
Die du geliebt, sind fortgezogen
Und kehren nimmer, nimmermehr ! "

MORITZ GRAF VON STRACHWITZ

112. DER GEFANGENE ADMIRAL

Sind heute dreiunddreißig Jahr',
Seit ich kein Segel sah,
Es steht der Turm unwandelbar,
Die Kett' ist ewig da.
Sie haben gemauert den Delphin
In lichtlos Felsgestein
Und unerreichbar über ihn
Ein winzig Fensterlein.
Nicht, daß ich fern von Licht und Tag,
Macht mir das Herz so schwer,
Als daß ich dich nicht zu schaun vermag,
Mein heiliges, blaues Meer !

Ich höre nicht, wie die Brandung rollt,
Und keiner Möwe Geschrill,
Und wenn die Kette nicht rasseln wollt',
So wär' es totenstill.

Sie bauten wohl fern vom Meer den Turm,
Wo keine Woge prallt,
Kein Bootsmann pfeift und pfeift kein Sturm,
Kein Schuß den Sturm durchschallt.
Nicht, daß man in schweigende Nacht mich warf,
Macht mir das Herz so schwer,
Als daß ich dich nicht hören darf,
Mein tief aufdonnerndes Meer!

Mein greises Gebein ist schwer und leer,
Mein Leib wird nimmer heil,
Die Faust schwingt nimmer die Lunte mehr
Und nimmer das Enterbeil; —
Die große Flagge auf dem Mast,
Die Breitseit' lasset sehn,
Und Jungens, wen aufs Korn ihr faßt,
Der Teufel hole den! —
Nicht, daß ich verwelkt in Haft und Bann,
Macht mir das Herz so schwer,
Als daß ich auf dir nicht fechten kann,
Mein kampferschüttertes Meer!

Nun drauf und dran, geentert keck,
Und feuert noch einmal!
Ha, Schiff an Schiff, und Deck an Deck,
Und ich der Admiral!
O fiel ich doch im Kugelgezisch!
Hier lieg' ich siech und wund,
Hinschmachtend wie im Sand ein Fisch
Und sterbend wie ein Hund.

Nicht, daß ich sterbe Zoll um Zoll,
Macht mir das Herz so schwer,
Als daß ich auf dir nicht sterben soll,
Mein oft bezwungenes Meer !

Die Segel hängt aas Schiff im Leid,
Ein schwarzes, verwitwetes Weib,
Die Flagge deckt als Sterbekleid
Den toten Heldenleib.
Er sinkt ins Meer von der Spiegelwand,
Das bebt in heiliger Scheu. —
Mich aber scharren sie in den Sand
Und schießen nicht einmal dabei !
Nicht, daß mein Leben hier verrann,
Macht mir mein Herz so schwer,
Als daß ich in dir nicht schlafen kann,
Du Heldengrab, mein Meer !

CONRAD FERDINAND MEYER

113. DER GESANG DES MEERES

Wolken, meine Kinder, wandern gehen
Wollt ihr ?   Fahret wohl ! auf Wiedersehen !
Eure wandellustigen Gestalten
Kann ich nicht in Mutterbanden halten.

Ihr langweilet euch auf meinen Wogen,
Dort die Erde hat euch angezogen :
Küsten, Klippen und des Leuchtturms Feuer !
Ziehet, Kinder !   Geht auf Abenteuer !

Segelt, kühne Schiffer, in den Lüften !
Sucht die Gipfel !   Ruhet über Klüften !
Brauet Stürme !   Blitzet !   Liefert Schlachten !
Traget glüh'nden Kampfes Purpurtrachten !

Rauscht im Regen !   Murmelt in den Quellen !
Füllt die Brunnen !   Rieselt in die Wellen !
Braust in Strömen durch die Lande nieder —
Kommet, meine Kinder, kommet wieder !

114. IN DER SISTINA

In der Sistine dämmerhohem Raum,
Das Bibelbuch in seiner nerv'gen Hand,
Sitzt Michelangelo in wachem Traum,
Umhellt von einer kleinen Ampel Brand.

Laut spricht hinein er in die Mitternacht,
Als lauscht' ein Gast ihm gegenüber hier,
Bald wie mit einer allgewalt'gen Macht,
Bald wieder wie mit seinesgleichen schier :

" Umfaßt, umgrenzt hab' ich dich, ewig Sein,
Mit meinen großen Linien fünfmal dort !
Ich hüllte dich in lichte Mäntel ein
Und gab dir Leib, wie dieses Bibelwort.

" Mit weh'nden Haaren stürmst du feurigwild
Von Sonnen immer neuen Sonnen zu,
Für deinen Menschen bist in meinem Bild
Entgegenschwebend und barmherzig du !

" So schuf ich dich mit meiner nicht'gen Kraft :
Damit ich nicht der größre Künstler sei,
Schaff mich—ich bin ein Knecht der Leidenschaft—
Nach deinem Bilde schaff mich rein und frei !

" Den ersten Menschen formtest du aus Ton,
Ich werde schon von härterm Stoffe sein ;
Da, Meister, brauchst du deinen Hammer schon,
Bildhauer Gott, schlag zu !   Ich bin der Stein."

115. MIT ZWEI WORTEN

Am Gestade Palästinas, auf und nieder, Tag um Tag,
" London ? " frug die Sarazenin, wo ein Schiff vor
    Anker lag.
" London ! " bat sie lang vergebens, nimmer müde,
    nimmer zag,
Bis zuletzt an Bord sie brachte eines Bootes Ruder-
    schlag.

Sie betrat das Deck des Seglers, und ihr wurde nicht
    gewehrt.
Meer und Himmel. " London ? " frug sie, von der
    Heimat abgekehrt,
Suchte, blickte durch des Schiffers ausgestreckte Hand
    belehrt,
Nach den Küsten, wo die Sonne sich in Abendglut
    verzehrt . . .

" Gilbert ? " fragt die Sarazenin im Gedräng' der
    großen Stadt,
Und die Menge lacht und spottet, bis sie dann Erbarmen
    hat.
" Tausend Gilbert gibt's in London ! " Doch sie sucht
    und wird nicht matt.
" Labe dich mit Trank und Speise ! " Doch sie wird
    von Tränen satt.

" Gilbert ! " " Nichts als Gilbert ? Weißt du keine
    andern Worte ? Nein ? "
" Gilbert ! " . . . " Hört, das wird der weiland Pilger
    Gilbert Becket sein,
Den gebräunt in Sklavenketten glüher Wüste Sonnen-
    schein,
Dem die Bande löste heimlich eines Emirs Töchterlein ! "

" Pilgrim Gilbert Becket ! " dröhnt es, braust es längs
    der Themse Strand.
Sieh, da kommt er ihr entgegen, von des Volkes Mund
    genannt,
Über seine Schwelle führt er, die das Ziel der Reise fand.
Liebe wandert mit zwei Worten gläubig über Meer und
    Land.

JOSEPH VIKTOR VON SCHEFFEL

116. ALT HEIDELBERG

Alt Heidelberg, du feine,
Du Stadt an Ehren reich,

Am Neckar und am Rheine
Kein' andre kommt dir gleich.

Stadt fröhlicher Gesellen,
An Weisheit schwer und Wein,
Klar ziehn des Stromes Wellen,
Blauäuglein blitzen drein.

Und kommt aus lindem Süden
Der Frühling übers Land,
So webt er dir aus Blüten
Ein schimmernd Brautgewand.

Auch mir stehst du geschrieben
Ins Herz gleich einer Braut,
Es klingt wie junges Lieben
Dein Name mir so traut.

Und stechen mich die Dornen,
Und wird mir's drauß zu kahl,
Geb' ich dem Roß die Spornen
Und reit' ins Neckartal.

117. ES HAT NICHT SOLLEN SEIN

Das ist im Leben häßlich eingerichtet,
Daß bei den Rosen gleich die Dornen steh'n,
Und was das arme Herz auch sehnt und dichtet,
Zum Schlusse kommt das Voneinandergeh'n.
In deinen Augen hab' ich einst gelesen,
Es blitzte drin von Lieb' und Glück ein Schein :
   Behüt' dich Gott ! es wär' zu schön gewesen,
   Behüt' dich Gott ! es hat nicht sollen sein.

Leid, Neid und Haß, auch ich hab' sie empfunden,
Ein sturmgeprüfter, müder Wandersmann.
Ich träumt' von Frieden dann und stillen Stunden,
Da führte mich der Weg zu dir hinan.
In deinen Armen wollt' ich ganz genesen,
Zum Danke dir mein junges Leben weih'n :
   Behüt' dich Gott ! es wär' zu schön gewesen,
   Behüt' dich Gott ! es hat nicht sollen sein.

Die Wolken flieh'n, der Wind saust durch die Blätter,
Ein Regenschauer zieht durch Wald und Feld,
Zum Abschiednehmen just das rechte Wetter,
Grau wie der Himmel steht vor mir die Welt.
Doch wend' es sich zum Guten oder Bösen,
Du schlanke Maid, in Treuen denk' ich dein :
   Behüt' dich Gott ! es wär' zu schön gewesen,
   Behüt' dich Gott ! es hat nicht sollen sein.

118. ALTASSYRISCH

Im schwarzen Walfisch zu Askalon,
Da trank ein Mann drei Tag',
Bis daß er steif wie ein Besenstiel
Am Marmortische lag.

Im schwarzen Walfisch zu Askalon,
Da sprach der Wirt : " Halt an !
Der trinkt von meinem Dattelsaft
Mehr als er zahlen kann."

Im schwarzen Walfisch zu Askalon,
Da bracht' der Kellner Schar
In Keilschrift auf sechs Ziegelstein'
Dem Gast die Rechnung dar.

Im Schwarzen Walfisch zu Askalon,
Da sprach der Gast : " O weh !
Mein bares Geld ging alles drauf
Im Lamm zu Ninive ! "

Im schwarzen Waifisch zu Askalon,
Da schlug die Uhr halb vier,
Da warf der Hausknecht aus Nubierland
Den Fremden vor die Tür.

Im schwarzen Walfisch zu Askalon
Wird kein Prophet geehrt,
Und wer vergnügt dort leben will,
Zahlt bar, was er verzehrt.

HEINRICH LEUTHOLD

119. AN DAS MEER

Gruss dir, frührotschimmerndes Meer ! Gewaltig
Haucht dein herber Odem mich an, und wieder
Tragen aufwärts mich die des Flugs entwöhnten
    Schwingen der Seele.

B.G.P.

Eigner Mißmut zog und der Haß der Menschen
Längst ein dreifach Erz um die Brust mir ; aber
Was sind Tränen einzelner gegen deine
    Mächtige Salzflut ?

Vieles Elend sahst du in langem Zeitlauf,
Seit die Bernsteinlasten des Tyrerseglers
Deine Flut gefurcht und der windumbrauste
    Kiel des Odysseus.

Manchen Segen brachtest du zwar ; du trugest
Sänger einst olympischen Sieg entgegen,
Trugest ruhmgekrönte Triumphatoren
    Sicher zur Heimat.

Ja, an deinen mächtigen Wellenbrüsten
Zogst du Völker gross und verliehst als Spielzeug
Ruhm und Weltmacht ihnen und ferner Zonen
    Seltene Schätze.

Doch die eignen Söhne verschlangst du, fraßest
Perserflotten, punische Kriegstriremen,
Warfst Trafalgars Raub zu des zweiten Philipps
    Stolzer Armada.

Keine Spur zwar grub dir die Zeit ins Antlitz ;
Doch mit unbestechlichem Griffel schrieben
Auf den Grund Jahrtausende dir den ganzen
    Jammer der Menschheit.

Dir im Schoß ruh'n Tempel vergess'ner Götter,
Ruh'n versunk'ne Städte ; es ruhen neben
Völkerketten untergegangener Reiche
    Kronen im Schoß dir.

Tyrus' alten Glanz und den Stolz Karthagos,
Romas Weltherrschaft und Venedigs Größe
Deckst du zu mit deiner Gewässer dunkel
    Rollenden Bahrtuch.

Tiefgeheimnisvoll wie des Weltenschicksals
Stimme tönt dein Donnergebrüll ins Ohr mir
Ehern, rauh, hohnlachend, so vieler Völker
    Wiegen- und Grablied.

Endlos groß hinwogendes Meer, wer bist du ?
Aus Verseh'n entfesselte rohe Urkraft ?
Oder gab ein Gott, ein Gesetz dir dieses
    Amt der Vertilgung ?

Oft wie Atemzüge des großen Weltgeists
Weht's aus deinen Tiefen ; mir ist, als hört' ich
Heil'ge Laute, welche der Schöpfungssagen
    Rätsel mir lösen.

Doch umsonst mit sterblichem Mund' beschwör' ich
Jene Geister über den Wassern schwebend ;
Frag' umsonst . . . Du speist an den Strand als Antwort
    Trümmer und Leichen.

120. DIE DEUTSCHE SPRACHE

Dich vor allem, heil'ge Muttersprache,
Preis' ich hoch ; denn was mir an Reiz des Lebens
Je gewährt ein karges Geschick, ich hab' es
            Dir zu verdanken.

Spröde nennt der Stümper dich nur ; mir gabst du
Alles ; arm an eigenen Schätzen bin ich,
Doch verschwenderisch wie ein König schwelg' ich
            Stets in den Deinen.

Mancher Völker Sprachen vernahm ich ;
Keine ist an Farbe, plastischem Reiz, an Reichtum,
Wucht und Tiefe, keine sogar an Wohllaut
            Ist dir vergleichbar.

Ja, du bist der griechischen Schwester selber
Ebenbürtig, wärst des Gedankenfluges
Eines Pindar wert und der Kunst der alten
            Göttlichen Meister.

Wenn die Zeit auch nicht an des deutschen Volkes
Weltberuf mit ehernem Finger mahnte,
Eine solche Sprache allein genügte,
            Ihn zu verkünden.

PAUL HEYSE

121. LIED VON SORRENT

Wie die Tage so golden verfliegen,
Wie die Nacht sich so selig verträumt,
Wo am Felsen mit Wogen und Wiegen
Die gelandete Welle verschäumt,
Wo sich Blumen und Früchte gesellen,
Daß das Herz dir in Staunen entbrennt —
O du schimmernde Blüte der Wellen,
Sei gegrüßt, du mein schönes Sorrent!

Und die Nacht, wenn so süß Luisella
Ihre lachenden Lieder uns singt,
Und der Taumel der Luft, Tarantella,
Wie ein Flämmchen im Sturme sie schwingt,
An der Bucht sich die Gärten erhellen
Unterm leuchtenden Nachtfirmament —
O du schimmernde Blüte der Wellen,
Sei gegrüßt, du mein schönes Sorrent!

Hier entrinnst du der Sorgen Getriebe
Und es trägt dich auf Händen die Lust,
Und sogar das Gedächtnis der Liebe,
Hier beschleicht es gelinder die Brust.
Und du tauchst in die heilenden Quellen,
In des heiligen Meers Element —
O du schimmernde Blüte der Wellen,
Sei gegrüßt, du mein schönes Sorrent!

Auch der tobenden Stürme Getümmel,
Hier belebt es nur Blüten zu Hauf,
Und es lösen die Wetter am Himmel
In ein fruchtbar Geriesel sich auf.
Wenn die Früchte, die herbstlichen, schwellen,
Ach wie weit, ach, wie bin ich getrennt!
Dann ade, o du Blüte der Wellen,
Dann ade, du mein schönes Sorrent!

DETLEV VON LILIENCRON

122. KRIEG UND FRIEDE

Ich stand an eines Gartens Rand
Und schaute in ein herrlich Land,
Das, weit geländet, vor mir blüht,
Drin heiß die Erntesonne glüht.
Und Arm in Arm, es war kein Traum,
Mein Wirt und ich am Apfelbaum;
Wir lauschten einer Nachtigall,
Und Friede, Friede überall.
Ein Zug auf fernem Schienendamm
Kam angebraust. Wie zaubersam!
Er brachte frohe Menschen her
Und Güterspenden, segenschwer.
Einst sah ich den metallnen Strang
Zerstört, zerrissen meilenlang.

geländet = ausgedehnt

Und wo ich nun in Blumen stund
War damals wildzerwühlter Grund.
Der Sommermorgen glänzte schön
Wie heute ; glitzernd von den Höhn,
' Den ganzen Tag mit Sack und Pack,'
Brach nieder aus Verhau, Verhack
Zum kühnsten Sturm, ein weißes Meer,
Des Feindes wundervolles Heer.
Ich stützte, wie aus Erz gezeugt,
Mich auf den Säbel, vorgebeugt,
Mit weiten Augen, offnem Mund,
Als starrt' ich in den Höllenschlund.
Nun sind sie da ! " Schnellfeuer ! " " Steht ! "
Wie hoch im Rauch die Fahne weht !
Und Mann an Mann, hinauf, hinab,
Und mancher sinkt in Graus und Grab.
Zu Boden stürz' ich, einer sticht
Und zerrt mich, ich erraff ' mich nicht,
Und um mich, vor mir, unter mir
Ein furchtbar Ringen, Gall' und Gier.
Und über unserm wüsten Knaul
Bäumt sich ein scheu gewordner Gaul.
Ich seh' der Vorderhufe Blitz,
Blutfestgetrockneten Sporenritz,
Den Gurt, den angespritzten Kot,
Der aufgeblähten Nüstern Rot.
Und zwischen uns mit Klang und Kling
Platzt der Granate Eisenring :
Ein Drache brüllt, die Erde birst,
Einfällt der Weltenhimmelfirst.

Es ächzt, es stöhnt, und Schutt und Staub
Umhüllen Tod und Lorbeerlaub.

Ich stand an eines Gartens Rand
Und schaute in ein herrlich Land,
Das ausgebreitet vor mir liegt,
Vom Friedensfächer eingewiegt.
Und Arm in Arm, es ist kein Traum,
Mein Wirt und ich am Apfelbaum ;
Wir lauschen einer Nachtigall,
Und Rosen, Rosen überall.

123. LEGENDE

Als der Herr in Gethsemane
Auf Knieen lag in schwerstem Weh,
Als er sich erhob, nach den Jüngern zu schauen,
Ließ er die Tränen niedertauen :
Er fand sie schlafend und mit den Genossen
Hatte selbst Petrus die Augen geschlossen.
Zum zweitenmal sucht er die Seinen dann,
Die liegen noch immer in Traumes Bann.
Und zum dritten, allein im Schmerz,
Zeigt er Gott das kämpfende Herz.
Die heilige Stirn wird ihm feucht und naß :
" Mein Vater, ist es möglich, daß . . ."
Und durch ein Gartenmauerloch
Schlüpft ein zottig Hündlein und kroch
Dem Heiland zu Füßen und schmiegt sich ihm an,
Als ob es ihm helfen will und kann.

Und der Herr hat mild lächelnd den Trost gespürt,
Und er nimmt's und drängt's an die Brust gerührt
Und muß es mit seiner Liebe umfassen :
Die Menschen hatten ihn verlassen.

124. BEGRÄBNIS

"Laudat alauda Deum, tirili tirilique canendo."

WENN letzter Donner fern verrollt
Nach dunkler Sommerstunde,
Schon winkt ein erstes Wolkengold
Dem regensatten Grunde.

Die Sonne küßt die Gräser wach,
Die lieben Lerchen singen ;
Es trägt der Wind den blauen Tag
Empor auf kühlen Schwingen.

In solcher Stunde senkt mich ein,
Viel Müh' ist nicht vonnöten,
Es wird die Erde hinterdrein
Mir rasch den Sarg verlöten.

Streut Rosen, Rosen in das Grab
Und spielt Trompetenstücke ;
Dann brecht mir meinen Wanderstab
Mit fester Hand in Stücke !

Es fiel ein Blatt von Baum, es fiel
Durch fruchtbeschwerte Äste.
Nun geht zu eurem eignen Ziel,
Ihr meine letzten Gäste !

Zum eignen Ziel geht spielbereit,
Schwenkt hoch die Trauerfahnen,
Froh, daß ihr noch auf Erden seid
Und nicht bei euern Ahnen !

ERNST VON WILDENBRUCH

125. WINDSTILLE

HEIß auf den Wassern brütet die Sonne,
Dumpf an den Ankern träumen die Schiffe,
Brennende Lüfte saugen die Erde,
Und meine Segel dürsten nach Wind.

Flatternde Möwe, Freundin der Wellen,
Schaumgekleidete, Meeresgespielin,
Schüttle die feuchten, eilenden Schwingen,
Bring einen Hauch mir vom ewigen Meer.

Kreischende Botin des roilenden Sturmes,
Öffne den Schnabel, ruf mir herunter
Nur einen Laut mir des hallenden Donners
Aus dem Busen des ewigen Meers.

Hier, ach im Lande, lieg' ich gefesselt,
Knarrenden Schrittes umschleicht mich Gewohnheit,
Ferne verschwindend winkt mir der Freiheit
Lilien-umflochtene göttliche Stirn.

Nebel umqualmt mich — Staub — ach, erstickt mich,
Stürme, du Schicksal; lieber im Sturze
Laß mich zerschmettern, lieber im Wirbel
Laß mich versinken des kochenden Meers !

Sei es auf Leben, sei es auf Sterben,
Einmal nur fülle ganz dieses Auge,
Einmal durchhauche ganz diesen Busen,
Furchtbare, herrliche, mächtige Welt !

PRINZ EMIL VON SCHOENAICH-
CAROLATH

126. VER SACRUM

WIR saßen am Strande der Syrten,
Es rollte und grollte das Meer,
Ein Duft von Narden und Myrten
Zog tief aus Süden her.

Die Wellen brausen und funkeln,
Doch bäumt sich mein Herz vor Weh,
Wenn ich das große Verdunkeln
Unsres Lebens seh'.

Wir haben die weißen Paläste
Der Träume hochgetürmt,
Wir haben, zwei jubelnde Gäste,
Den Himmel des Glücks erstürmt.

Das mahnt mich an sündige Städte
Voll Lichtgewirr und Samt,
Wo reich aus goldnem Geräte
Der Weihrauch der Lust geflammt.

Da wurde vergeudet, zerrüttet
Der Arbeit Segenstat,
Da wurde der Weizen verschüttet,
Der Jugend heilige Saat.

Da wurde von trunkener Zunge
Manch Hosianna gelacht,
Bis plötzlich mit Raubtiersprunge
Einbrach die Flut bei Nacht.

Versunken im rächenden Meere
Die Städte hochbenannt,
Die Tempel, drin einst Cythere
Im thyrsischen Reigen stand,

Verschwunden die Marmorlöwen,
Die Meisterhand einst schuf —
Nur weiße, raublüsterne Möwen
Kreisen mit hungrigem Ruf.

Die Stadt mit Tempeln und Türmen,
Darüber die Wellen ziehn,
Ist unsre Jugend, in Stürmen
Versunken, wie einst Julin.

Wir wollen vom Haupt uns streifen
Der Kränze sengenden Saum,

Das fiebernde Lustergreifen,
Den großen Griechentraum.

Wir wollen die Hand erfassen
Des Schiffsherrn von Nazareth,
Der, wenn die Sterne verblassen,
Nachtwandelnd auf Meeren geht.

Der tief in Wellen und Winden
Verlorenen Stimmen lauscht,
Um Städte wiederzufinden,
Darüber die Sintflut gerauscht.

Der aus dem brausenden Leben,
Drin unser Gut verscholl,
Versunkene Tempel heben
Und neu durchgöttern soll.

GUSTAV FALKE

127. DER TÖRICHTE JÄGER

Er zog hinaus, das Glück zu fangen,
Und jagte mit erhitzten Wangen
Bis in den späten Abendschein.
Umsonst, es war ein schlimmes Jagen,
Er kehrte müde und zerschlagen
In seine warme Hütte ein.

Da saß in schlichtem Werkelkleide,
Dem wilden Jäger schier zu Leide,
Am Herde eine stille Magd.

Sintflut = Sündflut   durchgöttern = durchgeistigen

Sie reichte ihm den Trunk, den Bissen,
Und ging zu Hand ihm, dienstbeflissen,
Wie es dem müden Mann behagt.

Sie hatte still sich eingefunden
Und ungefragt, vor Jahr und Stunden,
Und ihre Treue nahm er hin.
Heut' saß sie blaß zu seinen Füßen,
Er ließ sie seinen Unmut büßen,
Das flücht'ge Wild lag ihm im Sinn.

" Und muß ich mich zu Tode hetzen,
Es soll mein heißes Herz ergetzen,"
Rief er und rief sein letztes Wort,
Und kehrte grollend ihr den Rücken
Und setzte über Traumesbrücken
Die Jagd nach seinem Wilde fort.

Am Morgen, eh' die Vögel girrten,
Erwacht' er.   Seine Blicke irrten
Schlaftrunken über Bett und Wand
Und hin zum Herd.   Da stand im Scheine
Des Feuers, bleich am weißen Steine,
Die Magd, ihr Bündel in der Hand.

" Wohin ! Was treibt dich ? " — " Laß mich wandern,
Mein Dienst gehört jetzt einem andern,
Leb' wohl, ich kehre nicht zurück."
Schon stand sie draußen vor der Pforte,
Er hört nur noch die Abschiedsworte :
" Vergiß mich nicht, ich war das Glück."

ergetzen = ergötzen

FERDINAND AVENARIUS

128. ROLANDS HORN

Der König Karl beim Jubelmahl,
Hoch schwang in der Hand er den goldnen Pokal:

" Lang lebe der Sieger, der heut noch fern,
Roland, mein Roland, der Streiter des Herrn ! "

Da — bei der Becher Zusammenstoß,
Wie Schatten sich's über die Wände goß.

Und als das jauchzende Hoch verscholl,
Ein Dämmern über die Erde schwoll ;

Und weit, weit her es traurig hallt',
Hinklagend über See und Wald.

Und als sie drängten zur Tür mit Macht,
Da wuchs das Dunkel zur finstern Nacht,

Und angstvoll durch die Luft herbei
Rang sich's wie wilder Todesschrei.

Und als sie sich wandten entsetzt zum Thron,
Da stöhnte zum drittenmal her ein Ton,

Da zittert' es über Wald und See
Wie aus verröchelnder Brust ein Weh.

Doch als der König sich bleich erhob,
Blaß wieder ein Dämmern die Halle durchwob ;

Und als er rief : " Verrat !   Zu Roß ! "
Weiß wieder der Tag die Halle durchfloß.

Wohl jagten sie windschnell querfeldein,
Rastlos bei Sonnen- und Sternenschein,

Hin bis zum Morgen nach Ronceval —
Da kreischten die Krähen schon über dem Tal ;

Da lagen die Helden, die Wunden vorn,
Und stumm er, Roland, zerborsten sein Horn.

OTTO ERNST

129. DER RUF

Schon trat aus ferner, tannendunkler Pforte
Der Schlaf hervor.
Schon raunte mir die ersten, leisen Worte
Der Traum ins Ohr.
Da klang von nahen Zweigen
Ein tiefer Freudenschall,
Und klang getrost und stark durch Nacht und Schweigen.
In meinen Traum sang eine Nachtigall.

Ich ritt durch flimmerdunkle Waldesräume
Im Traum, im Traum.
Nur fern, o fern, durch mitternächt'ge Bäume
Ein lichter Saum.

Doch horch : von jenen Röten
Ein süß geheimer Hall,
Ein weiches, tiefes, morgenstilles Flöten !
In meinen Traum sang eine Nachtigall.

Nun weiß ich auch, daß mir dieselbe Stimme
Von je erklang
Und mir das Herz in Kampf und Leidensgrimme
Voll Hoffnung sang.
Ein Land des Lichtes träumen
Wir armen Seelen all !
Ich aber höre Klang aus jenen Räumen :
In meinen Traum singt eine Nachtigall.

ARNO HOLTZ

130. SO EINER WAR AUCH ER !

LIEGT ein Dörflein mitten im Walde,
Überdeckt vom Sonnenschein,
Und vor dem letzten Haus an der Halde
Sitzt ein steinalt Mütterlein.
    Sie läßt den Faden gleiten
    Und Spinnrad Spinnrad sein
    Und denkt an die alten Zeiten
    Und nickt und schlummert ein.

Heimlich schleicht sich die Mittagsstille
Durch das flimmernde, grüne Revier.

Alles schläft ; selbst Drossel und Grille
Und vorm Pflug der müde Stier.
    Da plötzlich kommt es gezogen
    Blitzend den Wald entlang
    Und vor ihm hergeflogen
    Trommel- und Pfeifenklang.

Und in das Lied vom alten Blücher
Jauchzen die Dörfler : Sie sind da !
Und die Mädels schwenken die Tücher
Und die Jungens rufen : Hurra !
    Gott schütze die goldnen Saaten,
    Dazu die weite Welt ;
    Des Kaisers junge Soldaten
    Ziehn wieder ins grüne Feld !

Sieh, schon schwenken sie um die Halde,
Wo das letzte der Häuschen lacht !
Schon verschwinden die ersten im Walde,
Und das Mütterchen ist erwacht.
    Versunken in tiefes Sinnen,
    Wird ihr das Herz so schwer,
    Und ihre Tränen rinnen :
    " So einer war auch er ! "

RICHARD DEHMEL

131. ANNO DOMINI 1812

ÜBER Rußlands Leichenwüstenei
Faltet hoch die Nacht die blassen Hände ;
Funkeläugig durch die weiße, weite,
Kalte Stille starrt die Nacht und lauscht.
Schrill kommt ein Geläute.

Dumpf ein Stampfen von Hufen, fahl flatternder Reif,
Ein Schlitten knirscht, die Kufe pflügt
Stiebende Furchen, die Peitsche pfeift,
Es dampfen die Pferde, Atem fliegt ;
Flimmernd zittern die Birken.

" Du, was hörtest du von—Bonaparte ? "
Und der Bauer horcht und will's nicht glauben,
Daß da hinter ihm der steinern starre
Fremdling mit den harten Lippen
Worte so voll Trauer sprach.

Antwort sucht der Alte, sucht und stockt,
Stockt und staunt mit frommer Furchtgebärde :
Aus dem Wolkensaum der Erde,
Brandrot aus dem schwarzen Saum,
Taucht das Horn des Mondes hoch.

Düster wie von Blutschnee glimmt die lange Straße,
Wie von Blutfrost perlt es in den Birken,
Wie von Blut umtropft sitzt Der im Schlitten.
" Mensch, was sagt man von dem großen Kaiser ? "
Düster schrillt das Geläute.

Die Glocken rasseln ; es klingt, es klagt ;
Der Bauer horcht ; hohl rauscht's im Schnee.
Und schwer nun, feiervoll und sacht,
Wie uralt Lied so dumpf und weh
Tönt sein Wort ins Öde :

" Groß am Himmel stand die schwarze Wolke,
Fressen wollte sie den heiligen Mond ;
Doch der heilige Mond steht noch am Himmel,
Und zerstoben ist die schwarze Wolke.
Volk, was weinst du ?

" Trieb ein stolzer, kalter Sturm die Wolke,
Fressen sollte sie die stillen Sterne ;
Aber ewig blühn die stillen Sterne,
Nur die Wolke hat der Sturm zerrissen,
Und den Sturm verschlingt die Ferne.

" Und es war ein großes, schwarzes Heer,
Und es war ein stolzer, kalter Kaiser ;
Aber unser Mütterchen, das heilige Rußland,
Hat viel tausend tausend stille warme Herzen :
Ewig, ewig blüht das Volk ! "

Hohl verschluckt der Mund der Nacht die Laute,
Dumpfhin rauschen die Hufe, die Glocken wimmern ;
Auf den kahlen Birken flimmert
Rot der Reif, der mondbetaute.
Den Kaiser schauert.

Durch die leere Ebne irrt sein Blick :
Über Rußlands Leichenwüstenei
Faltet hoch die Nacht die blassen Hände,
Hängt und glänzt der dunkelrote Mond,
Eine blutige Sichel Gottes.

132. DIE HARFE

UNRUHIG steht der hohe Kiefernforst ;
Die Wolken wälzen sich von Ost nach Westen.
Lautlos und hastig ziehn die Krähn zu Horst ;
Dumpf tönt die Waldung aus den braunen Ästen,
Und dumpfer tönt mein Schritt.

Hier über diese Hügel ging ich schon,
Als ich noch nicht den Sturm der Sehnsucht kannte,
Noch nicht bei euerm urweltlichen Ton
Die Arme hob und ins Erhabne spannte,
Ihr Riesenstämme rings.

In großen Zwischenräumen, kaum bewegt,
Erheben sich die graugewordnen Schäfte ;
Durch ihre grüngebliebnen Kronen fegt
Die Wucht der lauten und verhaltnen Kräfte
Wie damals.

Und eine steht, wie eines Erdgotts Hand
In fünf gewaltige Finger hochgespalten ;
Die glänzt noch goldbraun bis zum Wurzelstand
Und langt noch höher als die starren alten
Einsamen Stämme.

Durch die fünf Finger geht ein zäher Kampf,
Als wollten sie sich aneinanderzwängen;
Durch ihre Kuppen wühlt und spielt ein Krampf,
Als rissen sie mit Inbrunst an den Strängen
Einer verwunschnen Harfe.

Und von der Harfe kommt ein Himmelston
Und pflanzt sich mächtig fort von Ost nach Westen.
Den kenn' ich tief seit meiner Jugend schon;
Dumpf tönt die Waldung aus den braunen Ästen:
Komm, Sturm, erhöre mich!

Wie hab' ich mich nach einer Hand gesehnt,
Die mächtig ganz in meine würde passen!
Wie hab' ich mir die Finger wund gedehnt!
Die ganze Hand, die konnte niemand fassen!
Da ballt' ich sie zur Faust.

Ich habe mit Inbrünsten jeder Art
Mich zwischen Gott und Tier herumgeschlagen.
Ich steh' und prüfe die bestandne Fahrt:
Nur eine Inbrunst läßt sich treu ertragen:
Zur ganzen Welt.

Komm, Sturm der Allmacht, schüttel' den starren Forst!
Schüttelst auch mich, du urweltliches Treiben.
In scheuen Haufen ziehn die Krähn zu Horst.
Gib mir die Kraft, einsam zu bleiben,
Welt!

133. DER ARBEITSMANN

WIR haben ein Bett, wir haben ein Kind,
Mein Weib !
Wir haben auch Arbeit, und gar zu zweit,
Und haben die Sonne und Regen und Wind,
Und uns fehlt nur eine Kleinigkeit,
Um so frei zu sein, wie die Vögel sind :
Nur Zeit.

Wenn wir Sonntags durch die Felder geh'n,
Mein Kind,
Und über den Ähren weit und breit
Das blaue Schwalbenvolk blitzen seh'n,
O, dann fehlt uns nicht das bißchen Kleid,
Um so schön zu sein, wie die Vögel sind :
Nur Zeit.

Nur Zeit ! wir wittern Gewitterwind,
Wir Volk.
Nur eine kleine Ewigkeit ;
Uns fehlt ja nichts, mein Weib, mein Kind,
Als all das, was durch uns gedeiht,
Um so kühn zu sein, wie die Vögel sind :
Nur Zeit !

134. ERNTELIED

Es steht ein gold'nes Garbenfeld,
Das geht bis an den Rand der Welt.
Mahle, Mühle, mahle !

Es stockt der Wind im weiten Land,
Viel Mühlen steh'n am Himmelsrand.
Mahle, Mühle, mahle !

Es kommt ein dunkles Abendrot,
Viel arme Leute schrei'n nach Brot.
Mahle, Mühle, mahle !

Es hält die Nacht den Sturm im Schoß,
Und morgen geht die Arbeit los.
Mahle, Mühle, mahle !

Es fegt der Sturm die Felder rein,
Es wird kein Mensch mehr Hunger schrei'n.
Mahle, Mühle, mahle !

KARL HENCKELL

135. MÖWENLIED

So fliege,
Du Möwe
Der Seele, hinaus
Und wiege
Dich höher
Und tiefer im Braus !

Es lebt sich
Das Leben
Noch einmal so schön,
Wenn's hebt sich
Und senkt sich
In Wonnen und Weh'n.

Lass spritzen
Die Wogen,
Lass schäumen den Gischt,
Kommt's blitzend
Geflogen,
Hei wie das erfrischt !

Und will's dich
Verstimmen
Wenn Sumpfvögel schrein,
So wirf dich
Zum Schwimmen
In offene Meere hinein . . . !

So fliege,
Du Möwe
Der Seele, hinaus
Und wiege
Dich höher
Und wage dich tiefer im wogenden Braus !

RICARDA HUCH

136. AUS DEM 30 JÄHRIGEN KRIEGE

WIEGENLIED

Horch, Kind, horch, wie der Sturmwind weht
Und rüttelt am Erker !
Wenn der Braunschweiger draußen steht,
Der faßt uns noch stärker.
Lerne beten, Kind, und falten fein die Händ',
Damit Gott den tollen Christian von uns wend' !

Schlaf, Kind, schlaf, es ist Schlafens Zeit,
Ist Zeit auch zum Sterben.
Bist du groß, wird dich weit und breit
Die Trommel anwerben.
Lauf ihr nach, mein Kind, folg' deiner Mutter Rat !
Fällst du in der Schlacht, so würgt dich kein Soldat.

" Herr Soldat, tu' mir nichts zu leid,
Und laß mir mein Leben ! "
" Herzog Christian führt uns zum Streit,
Kann kein Pardon geben.
Lassen muß der Bauer mir sein Gut und Hab',
Zahle nicht mit Geld, nur mit dem kühlen Grab."

Schlaf, Kind, schlaf, werde stark und groß,
Die Jahre, sie rollen ;
Folgst bald selber auf stolzem Roß
Herzog Christian, dem Tollen.
Wie erschrickt der Pfaff' und wirft sich auf die Knie —
" Für den Bauern nicht Pardon, den Pfaffen aber nie ! "

Still, Kind, still, wenn Herr Christian kommt,
Der lehrt dich zu schweigen!
Sei fein still, bis dir selber frommt,
Ein Roß zu besteigen.
Sei fein still, dann bringt der Vater bald dir Brot,
Wenn nach Rauch der Wind nicht schmeckt und nicht
    der Himmel rot.

OTTO JULIUS BIERBAUM

137. OFT IN DER STILLEN NACHT

Oft in der stillen Nacht,
Wenn zag der Atem geht
Und sichelblank der Mond
Am schwarzen Himmel steht,

Wenn alles ruhig ist
Und kein Begehren schreit,
Führt meine Seele mich
In Kindeslande weit.

Dann seh' ich, wie ich schritt
Unfest mit Füßen klein,
Und seh' mein Kindesaug'
Und seh' die Hände mein,

Und höre meinen Mund,
Wie lauter klar er sprach,
Und senke meinen Kopf
Und denk' mein Leben nach.

Bist du, bist du allweg
Gegangen also rein,
Wie du gegangen bist
Auf Kindes Füßen klein ?

Hast du, hast du allweg
Gesprochen also klar
Wie einsten deines Munds
Lautleise Stimme war ?

Sahst du, sahst du allweg
So klar ins Angesicht
Der Sonne, wie dereinst
Der Kindesaugen Licht ?

Ich blicke, Sichel, auf
Zu deiner weißen Pracht ;
Tief, tief bin ich betrübt
Oft in der stillen Nacht.

FRIEDRICH LIENHARD

138. IN SPÄTER NACHT

KLOPFT jemand noch an mein vergessen Haus ?
Die Nacht ist rauh — o komm zu mir herein !
Der Nußbaum weint, der Stürme wilder Graus
Jagt sich im Feld, der Regen klagt hinaus —
O komm zu mir, denn ich bin ganz allein.

Bist du verbannt und vieler Qualen voll ?
Bist du ein Mensch, dem Gottes Trost verblich ?
Wenn du im Regenguß, im Sturmgeroll
Vergessen willst der eignen Seele Groll —
O komm zu mir, ich habe Trost für dich !

Ich hör' ein Rascheln — steht am Brunnen dort
Ein Kind, das sich versteckt ?   O komm zu mir !
Wenn du entflohst vor hartem Menschenwort
Und wenn du Wärme suchst an besserm Ort —
Ich habe, was du suchst, o komm zu mir !

Es kommt kein Gast, es naht kein scheues Kind,
Es bringt kein Mann sein Weh zu mir herein.
Auf öden Hügeln irrt der dunkle Wind,
Der Nußbaum weint, der kalte Regen rinnt,
Die Nacht ist rauh — und ich bin ganz allein.

RUDOLF BINDING

139. FRÜHLINGSRITT

MIT einem Zweig von Blüten schwer
Und schwer von Morgentau,
Schlag' ich an deine Fensterwehr,
Du allerschönste Frau.

Und hoch im Bügel heb' ich mich
Und schwinge meinen Zweig.
Da regnen Blüten über dich
Und über mich zugleich.

Hinaus, hinaus! Zu Pferd, zu Pferde!
Da halt' ein andrer Ruh!
Im Blühen steht die ganze Erde;
Gehörest auch dazu.

Schon scharrt und wiehert hell dein Hengst —
Der Zügel hält ihn kaum.
Das Heute winkt. Dahinter längst
Liegt Gestern, Nacht und Traum.

Du trittst heraus und nickst zum Gruss;
Ein Lachen blitzt hervor.
Auf meiner Hand dein leichter Fuss,
So schwingst du dich empor.

Das Land fliegt hinter uns zurück
Und vor uns tut sich's auf.
Wir reiten! — Überall ist Glück,
Wohin trägt Rosseslauf.

STEFAN GEORGE

140. DER JÜNGER

IHR sprecht von Wonnen, die ich nicht begehre,
In mir die Liebe schlägt für meinen Herrn.
Ihr kennt allein die süße, ich die hehre.
Ich lebe meinem hehren Herrn.

Mehr als zu jedem Werke eurer Gilde
Bin ich geschickt zum Werke meines Herrn.
Da werd' ich gelten ; denn mein Herr ist milde.
Ich diene meinem milden Herrn.

Ich weiß, in dunkle Lande führt die Reise,
Wo viele starben ; doch mit meinem Herrn
Trotz' ich Gefahren ; denn mein Herr ist weise.
Ich traue meinem weisen Herrn.

Und wenn er allen Lohnes mich entblößte,
Mein Lohn ist in den Blicken meines Herrn.
Sind andre reicher, ist mein Herr der größte.
Ich folge meinem größten Herrn.

GUSTAV SCHÜLER

141. UNTERDESSEN

Schönheit ist Atem.   Aber Brot ist Brot.
Und Tausend hungern.   Und die Mühlen mahlen.
Und Königstische wissen nichts von Not.
Und Tausend beten nachts zu ihren Qualen.

Und Mütter fiebern, wie kein Fieber schlägt,
Weil ihre Kinder schwer im Schlafe wimmern.
Die Mütter hören's, daß man Bretter trägt,
Um einen rohen Armensarg zu zimmern.

Und unterdessen lauscht die heil'ge Nacht,
Und unterdessen wird das Licht erkoren,
Und unterdessen hat die Schönheit acht
Auf jede Perle, die der Tau geboren.

HUGO VON HOFMANNSTHAL

142. BALLADE DES ÄUSSEREN LEBENS

Und Kinder wachsen auf mit tiefen Augen,
Die von nichts wissen, wachsen auf und sterben,
Und alle Menschen gehen ihre Wege.

Und süße Früchte werden aus den herben
Und fallen nachts wie tote Vögel nieder
Und liegen wenig Tage und verderben.

Und immer weht der Wind, und immer wieder
Vernehmen wir und reden viele Worte
Und spüren Lust und Müdigkeit der Glieder.

Und Straßen laufen durch das Gras, und Orte
Sind da und dort, voll Fackeln, Bäumen, Teichen,
Und drohende, und totenhaft verdorrte . . .

Wozu sind diese aufgebaut ? und gleichen
Einander nie ? und sind unzählig viele ?
Was wechselt Lachen, Weinen und Erbleichen ?

Was frommt das alles uns und diese Spiele,
Die wir doch groß und ewig einsam sind
Und wandernd nimmer suchen irgend Ziele ?

Was frommt's, dergleichen viel gesehen haben ? . . .
Und dennoch sagt der viel, der " Abend " sagt,
Ein Wort, daraus Tiefsinn und Trauer rinnt

Wie schwerer Honig aus den hohlen Waben.

BÖRRIES FREIHERR VON MÜNCHHAUSEN

143. AVALUN

MIR liegt ein Land im Sinn.   Ich weiß es nicht,
Wann ich es sah in meinen Heimwehträumen,
Doch meine Sehnsucht, wenn sie Kränze flicht,
Pflückt Blüten sich von seinen Apfelbäumen.

Und meine Sehnsucht wandelt göttlich leicht
Die grünen Gartenhänge auf und nieder,
Mit Schmeichelhänden sie ein Windhauch streicht
Und flüstert ihr ins Ohr verwehte Lieder.

Im fernen Grund spielt eine Mädchenschar,
Die hellen Kleider rot von Abendstrahlen,
Und wie sie laufen blitzen wunderbar
Die schmalen Sohlen ihrer Goldsandalen.

Wie Silberregen ihr Gelächter fällt
In dieser Hügel feierliches Schweigen
Und schüttelt in der weißen Blütenwelt
Viel tausend Sternchen von den wirren Zweigen.

B.G.P.

Und sinnend schreit' ich. Alle Wünsche ruhn.
Ich fühl's, ich bin zu Haus an diesen Bächen.
Traumheimat meiner Seele, Avalun ! —
Mir ist, als hört' ich meine Mutter sprechen.

RICHARD VON SCHAUKAL

144. MEINER MUTTER

WIR sind im Leben nun schon lang
Nicht auf denselben Wegen,
Doch schlägt das Herz im gleichen Takt,
Und was der Tag uns aufgepackt,
Wir hielten's uns entgegen
Und weinten froh und lachten bang.

Das macht : es hat der liebe Gott
Uns aus demselben weichen
Und dennoch festen Holz gefügt
Und sah uns nach und war vergnügt,
Und seinen Bogen streichen
Tät er an uns in gutem Spott

Und sprach zu seinen Engeln : " Seht,
Das gibt doch einen feinen Ton.
Nun wollen wir sie trennen :
Ob sie sich auch erkennen.
Und sind es manche Jahre schon,
Daß jedes tapfer weiter geht."

Doch langt der große Bogen her
Und will brav musizieren
Und hat kaum einen Strich getan,
Da fängt es fern zu klingen an :
Das kann sich nicht verlieren !
Er aber lacht und freut sich sehr.

RAINER MARIA RILKE

145. RITTER

REITET der Ritter im schwarzen Stahl
Hinaus in die rauschende Welt.
Und draußen ist alles : der Tag und das Tal
Und der Freund und der Feind und das Mahl im Saal
Und der Mai und die Maid und der Wald und der Gral,
Und Gott ist selber vieltausendmal
An alle Straßen gestellt.

Doch in dem Panzer des Ritters drinnen,
Hinter den finstersten Ringen,
Hockt der Tod und muß sinnen und sinnen :
Wann wird die Klinge springen
Über die Eisenhecke,
Die fremde befreiende Klinge,
Die mich aus meinem Verstecke
Holt, drin ich so viele
Gebückte Tage verbringe, —
Daß ich mich endlich strecke
Und spiele
Und singe.

146. HERBSTTAG

HERR : es ist Zeit.   Der Sommer war sehr groß.
Leg' deinen Schatten auf die Sonnenuhren,
Und auf den Fluren laß die Winde los.

Befiehl den letzten Früchten voll zu sein ;
Gib ihnen noch zwei südlichere Tage,
Dränge sie zur Vollendung hin und jage
Die letzte Süße in den schweren Wein.

Wer jetzt kein Haus hat, baut sich keines mehr,
Wer jetzt allein ist, wird es lange bleiben,
Wird wachen, lesen, lange Briefe schreiben
Und wird in den Alleen hin und her
Unruhig wandern, wenn die Blätter treiben.

147. HERBST

DIE Blätter fallen, fallen wie von weit,
Als welkten in den Himmeln ferne Gärten ;
Sie fallen mit verneinender Gebärde.

Und in den Nächten fällt die schwere Erde
Aus allen Sternen in die Einsamkeit.

Wir alle fallen.   Diese Hand da fällt.
Und sieh dir andre an : es ist in allen.

Und doch ist Einer, welcher dieses Fallen
Unendlich sanft in seinen Händen hält.

AGNES MIEGEL

148. LEGENDE

Herr Jesus ging durchs deutsche Land,
Sankt Oswald an dem Feldrain stand.

Am Berg die Sonne ging zur Rüst,
Sankt Oswald sprach : " Ich grüß' dich, Christ !

" Lang stand ich hier und harrte dein
In Morgentau und Mittagsschein.

" Ein Wetter kam, ein Wetter ging.
Der Halm stand auf, der weinend hing.

" Zum Bau die wilde Biene zog,
Und Storch und Schwalb' zu Neste flog.

" Die Hagerosen schlossen sich, —
Da sah ich fern am Walde dich.

" Herr, hör' mich, eh' du weiter ziehst :
Dies Land ist mein, so weit du siehst.

" Und dies, mein Erb' und Königreich,
Leg' ich in deine Hände bleich.

" Und leg' dazu noch diesen Ring,
Den Treu' von Liebe einst empfing.

" Es sei mein Land und meine Braut
Mit diesem Reif dir angetraut.

" Ein König, Christe, harrte hier,
Ein armer Pilgrim geht von dir ! "

Sankt Oswald sprach es, abgewandt,
Ins reife Korn griff seine Hand.

Im Abendwind das Ährenmeer
Rauschte und wehte ringsumher.

Sprach Jesus : " Was du griffst in Leid,
Sei dein für alle Ewigkeit !

" Mäht je am goldnen Erntetag
Singend die Sichel, Schlag um Schlag,

" Dann soll die Garbe an dem Rain,
Sankt Oswalds Korn, ihr heilig sein ! "

149. DIE NIBELUNGEN

HERRN VOLKERS SANG

Es glimmt empor aus ew'ger Nacht,
Heißer als alle Feuersglut,
Gelb wie das Aug' der Zwergenbrut,
Das gierig seinen Glanz bewacht —
O weh der Lust, die mich gezeugt !

Wie Brunst nach Brunst in Forste schreit,
Wie nach der Lohe lechzt die Glut,
So treibt die Gier nach Menschenblut
Ans Licht den Hort der Dunkelheit —
O weh dem Schoß, der mich gebar !

Es = das Gold des Nibelungenschatzes

Es ruft den Neid, es weckt den Mord,
Stört auf die Drachen Trug und List,
Hetzt Rachsucht, die die Rache frißt,
Und immer röter glüht der Hort —
O weh der Brust, die mich gesäugt !

Es treibt und schwimmt im Purpurquell,
Es trinkt den Quell und lechzt nach mehr,
Es braust und schäumt, die Flut steigt schnell,
Breit wie die Donau strömt es her —
O weh der Lieb', die lieb mir war !

Es schäumt und braust, atmet und steigt,
Schon brandet's draußen an die Tür,
Es klopft und pocht, der Riegel weicht,
Nun flutet's heiß und rot herfür —
Weh über mich, weh über euch !

KARL BRÖGER

150. WEIHNACHTSGEBET

Geh nicht vorüber, Maria !
Kehr' bei uns ein !
Wir haben noch nicht vergessen :
Das höchste ist Mutter sein.
Geh nicht vorüber, Maria !
Wir sind so allein.

Über die Schluchten von Häusern,
Darin wir verschollen sind,
Weht doch nur einmal im Jahre
Köstlicher Weihnachtswind,
Haucht um uns zärtlich
Wie Atem von deinem Kind.

Die wir verloren und arm
Durch Schatten und Schauer gehn,
Müssen immer verzückt
Nach dem Stern der Verheißung sehn.
Wann wird er leuchtend
Auch uns zu Häuptern stehn?

Geh nicht vorüber, Maria!
Kehr' bei uns ein!
Wir können nur immer denken:
Das höchste ist Mutter sein.
Geh nicht vorüber, Maria!
Wir sind so allein.

WALTER FLEX

151. SOLDATENTRAUM

In einem Russendorfe zog
Ich nachts die Reiterstiefel aus
Und fiel in einen Traum und flog
Auf Kinderschuh'n ins Elternhaus.

Die Türen gingen auf und zu,
Von Kinderhänden leicht bewegt,
Als atmete in süßer Ruh'
Das Haus, vom Leben frisch durchregt.

Ich war in meines Vaters Haus
Von Dämmerung zu Dämmerung
Und lief im Spiel türein, türaus,
An Blut und Gliedern knabenjung.

Ich war daheim und war ein Kind,
Doch als das Feld sich kaum bereift,
Hat mir der kühle Morgenwind
Die Kinderschuhe abgestreift.

Ich lag im Stroh, des Königs Mann,
Fremd, tot und öde war das Haus.
Ich zog die Reiterstiefel an
Und ritt ins Morgenrot hinaus.

HEINRICH LERSCH

152. BRÜDER

Es lag schon lang ein Toter vor unserm Drahtverhau,
Die Sonne auf ihn glühte, ihn kühlte Wind und Tau.

Ich sah ihm alle Tage in sein Gesicht hinein,
Und immer fühlt' ich's fester : Es muß mein Bruder sein.

Ich sah in allen Stunden, wie er so vor mir lag,
Und hörte seine Stimme aus frohem Friedenstag.

durchregt = durchdrungen

Oft in der Nacht ein Weinen, das aus dem Schlaf mich
    trieb :
Mein Bruder, lieber Bruder — hast du mich nicht mehr
    lieb ?

Bis ich, trotz allen Kugeln, zur Nacht mich ihm genaht
Und ihn geholt. — Begraben : — Ein fremder Kamerad.

Es irrten meine Augen. — Mein Herz, du irrst dich
    nicht :
Es hat ein jeder Toter des Bruders Angesicht.

153. MUTTER UND KIND, 1914

In stiller Kammer ruht das Kind,
Es braust das Meer, es saust der Wind.
Die Mutter an dem Bettchen kniet
Und leise singt ihr Abendlied.
Auf einmal ruft's : " Lieb Mütterlein,
Wann kommt mein Vater wieder heim ? " —
" Sei still, mein Kind, und bet' für ihn,
Dein Vater muß nach Frankreich zieh'n ! "

In stiller Kammer ruht das Kind,
Es braust das Meer, es saust der Wind.
Die Mutter an dem Bettchen kniet
Und leise singt ihr Abendlied.
Auf einmal ruft's : " Lieb Mütterlein,
Kommt denn mein Vater noch nicht heim ? " —
" Sei still, mein Kind, es naht die Nacht,
Dein Vater kämpft in blutiger Schlacht ! "

In stiller Kammer ruht das Kind,
Es braust das Meer, es saust der Wind,
Die Mutter an dem Bettchen kniet
Und leise singt ihr Abendlied.
Auf einmal ruft's : " Lieb Mütterlein,
Kommt denn mein Vater nicht mehr heim ? " —
" Sei still, mein Kind, schließ die Äuglein zu,
Dein Vater schläft in ewiger Ruh' ! "

[Verfasser unbekannt]

SONETTE

154. ABEND

Der schnelle Tag ist hin ; die Nacht schwingt ihre Fahn'
Und führt die Sterne auf.   Der Menschen müde Scharen
Verlassen Feld und Werk ; wo Tier' und Vögel waren,
Trau'rt jetzt die Einsamkeit.   Wie ist die Zeit vertan !

Dem Port naht mehr und mehr der wildbewegte Kahn.
Gleich wie dies Licht verfiel, so wird in wenig Jahren
Ich, du, und was man hat, und was man sieht, hinfahren.
Dies Leben kommt mir vor als eine Rennebahn.

Laß, höchster Gott, mich doch nicht auf dem Laufplatz
        gleiten !
Laß mich nicht Schmerz, nicht Pracht, nicht Lust, nicht
        Angst verleiten !
Dein ewig heller Glanz sei vor und neben mir !

Laß, wenn der müde Leib entschläft, die Seele wachen,
Und wenn der letzte Tag wird mit dem Abend machen,
So reiß mich aus dem Tal der Finsternis zu Dir !

Andreas Gryphius

155. NATUR UND KUNST

Natur und Kunst, sie scheinen sich zu fliehen,
Und haben sich, eh' man es denkt, gefunden ;
Der Widerwille ist auch mir verschwunden,
Und beide scheinen gleich mich anzuziehen.

Es gilt wohl nur ein redliches Bemühen ;
Und wenn wir erst in abgemess'nen Stunden
Mit Geist und Fleiß uns an die Kunst gebunden,
Mag frei Natur im Herzen wieder glühen.

So ist's mit aller Bildung auch beschaffen :
Vergebens werden ungebundne Geister
Nach der Vollendung reiner Höhe streben.

Wer Großes will, muß sich zusammenraffen ;
In der Beschränkung zeigt sich erst der Meister,
Und das Gesetz nur kann uns Freiheit geben.

Goethe

156. DAS SONETT

Zwei Reime heiß' ich viermal kehren wieder
Und stelle sie geteilt in gleiche Reihen,
Daß hier und dort zwei, eingefaßt von zweien,
Im Doppelchore schweben auf und nieder.

Dann schlingt des Gleichlauts Kette, durch zwei
    Glieder
Sich freier wechselnd, jegliches von dreien.
In solcher Ordnung, solcher Zahl gedeihen
Die zartesten und stolzesten der Lieder.

Den werd' ich nie mit meinen Zeilen kränzen,
Dem eitle Spielerei mein Wesen dünket
Und Eigensinn die künstlichen Gesetze.

Doch, wem in mir geheimer Zauber winket,
Dem leih' ich Hoheit, Füll' in engen Grenzen
Und reines Ebenmaß der Gegensätze.

August Wilhelm von Schlegel

157. AN DIE KÖNIGIN LUISE

Erwäg' ich, wie in jenen Schreckenstagen
Still deine Brust verschlossen, was sie litt,
Wie du das Unglück mit der Grazie Tritt
Auf jungen Schultern herrlich hast getragen,

Wie von des Kriegs zerriss'nem Schlachtenwagen,
Selbst oft die Schar der Männer zu dir schritt,
Wie trotz der Wunde, die dein Herz durchschnitt,
Du stets der Hoffnung Fahn' uns vorgetragen:

O Herrscherin, die Zeit dann möcht' ich segnen!
Wir sah'n dich Anmut endlos niederregnen —
Wie groß du warst, das ahndeten wir nicht.

Dein Haupt scheint wie von Strahlen mir umschim-
    mert ;
Du bist der Stern, der voller Pracht erst flimmert,
Wenn er durch finstre Wetterwolken bricht.

Heinrich von Kleist

158. AUS DEN " GEHARNISCHTEN
SONETTEN "

Was schmiedst du, Schmied ? " Wir schmieden Ketten,
    Ketten ! "
Ach, in die Ketten seid ihr selbst geschlagen.
Was pflügst du, Bau'r ? " Das Feld soll Früchte
    tragen ! "
Ja, für den Feind die Saat, für dich die Kletten.

Was zielst du, Schütze ? " Tod dem Hirsch, dem
    fetten."
Gleich Hirsch und Reh wird man euch selber jagen.
Was strickst du, Fischer ? " Netz dem Fisch, dem
    zagen."
Aus eurem Todesnetz wer kann euch retten ?

Was wiegest du, schlaflose Mutter ? " Knaben."
Ja, daß sie wachsen und dem Vaterlande
Im Dienst des Feindes Wunden schlagen sollen.

Was schreibest, Dichter, du ? " In Glutbuchstaben
Einschreib' ich mein' und meines Volkes Schande,
Das seine Freiheit nicht darf denken wollen."

Rückert

159. ABSCHIED VON LEBEN

DIE Wunde brennt; die bleichen Lippen beben;
Ich fühl's an meines Herzens mattern Schlage,
Hier steh' ich an den Marken meiner Tage —
Gott, wie du willst! Dir hab' ich mich ergeben.

Viel goldne Bilder sah ich um mich schweben;
Das schöne Traumbild wird zur Totenklage.
Mut! Mut! Was ich so treu im Herzen trage,
Das muß ja doch dort ewig mit mir leben!

Und was ich hier als Heiligtum erkannte,
Wofür ich rasch und jugendlich entbrannte,
Ob ich's nun Freiheit, ob ich's Liebe nannte,

Als lichten Seraph seh' ich's vor mir stehen;
Und wie die Sinne langsam mir vergehen,
Trägt mich ein Hauch zu morgenroten Höhen.

Körner

160. VENEDIG

VENEDIG liegt nur noch im Land der Träume
Und wirft nur Schatten her aus alten Tagen;
Es liegt der Leu der Republik erschlagen,
Und öde feiern seines Kerkers Räume.

Die ehrnen Hengste, die durch salz'ge Schäume
Dahergeschleppt auf jener Kirche ragen,
Nicht mehr dieselben sind sie, ach, sie tragen
Des korsikan'schen Überwinders Zäume.

Leu (poet.) = Löwe

Wo ist das Volk von Königen geblieben,
Das diese Marmorhäuser durfte bauen,
Die nun verfallen und gemach zerstieben ?

Nur selten finden auf der Enkel Brauen
Der Ahnen große Züge sich geschrieben,
An Dogengräbern in den Stein gehauen.

Platen

161. GRABSCHRIFT

Ich war ein Dichter und empfand die Schläge
Der bösen Zeit, in welcher ich entprossen ;
Doch schon als Jüngling hab' ich Ruhm genossen
Und auf die Sprache drückt' ich mein Gepräge.

Die Kunst zu lernen, war ich nie zu träge,
Drum hab' ich neue Bahnen aufgeschlossen,
In Reim und Rhythmus meinen Geist ergossen,
Die dauernd sind, wofern ich recht erwäge.

Gesänge formt' ich aus verschied'nen Stoffen,
Lustspiele sind und Märchen mir gelungen
In einem Stil, den keiner übertroffen :

Der ich der Ode zweiten Preis errungen,
Und im Sonett des Lebens Schmerz und Hoffen,
Und diesen Vers für meine Gruft gesungen.

Platen

162. AN MEINE MUTTER

i

Ich bin's gewohnt, den Kopf recht hoch zu tragen,
Mein Sinn ist auch ein bißchen starr und zähe ;
Wenn selbst der König mir ins Antlitz sähe,
Ich würde nicht die Augen niederschlagen.

Doch, liebe Mutter, offen will ich's sagen :
Wie mächtig auch mein stolzer Mut sich blähe,
In deiner selig süßen, trauten Nähe
Ergreift mich oft ein demutvolles Zagen.

Ist es dein Geist, der heimlich mich bezwinget,
Dein hoher Geist, der alles kühn durchdringet
Und blitzend sich zum Himmelslichte schwinget ?

Quält mich Erinnerung, daß ich verübet
So manche Tat, die dir das Herz betrübet,
Das schöne Herz, das mich so sehr geliebet ?

163.   ii

Im tollen Wahn hatt' ich dich einst verlassen :
Ich wollte gehn die ganze Welt zu Ende
Und wollte sehn, ob ich die Liebe fände,
Um liebevoll die Liebe zu umfassen.

Die Liebe suchte ich auf allen Gassen,
Vor jeder Türe streckt' ich aus die Hände
Und bettelte um g'ringe Liebespende, —
Doch lachend gab man mir nur kaltes Hassen.

Und immer irrte ich nach Liebe, immer
Nach Liebe, doch die Liebe fand ich nimmer,
Und kehrte um nach Hause, krank und trübe.

Doch da bist du entgegen mir gekommen,
Und ach ! was da in deinem Aug' geschwommen,
Das war die süße, langgesuchte Liebe.

Heine

164. NUR ZU !

Schön prangt im Silbertau der junge Rose,
Den ihr der Morgen in den Busen rollte ;
Sie blüht, als ob sie nie verblühen wollte,
Sie ahnet nichts vom letzten Blumenlose.

Der Adler strebt hinan ins Grenzenlose,
Sein Auge trinkt sich voll von sprüh'ndem Golde ;
Er ist der Tor nicht, daß er fragen sollte,
Ob er das Haupt nicht an die Wölbung stoße.

Mag denn der Jugend Blume uns verbleichen,
Noch glänzet sie und reizt unwiderstehlich ;
Wer will zu früh so süßem Trug entsagen ?

Und Liebe, darf sie nicht dem Adler gleichen ?
Doch fürchtet sie ; auch fürchten ist ihr selig,
Denn all ihr Glück, was ist's ?—ein endlos Wagen !

Mörike

165. RUHE

Es gibt so stille Stunden, wo das Leid
Gleichwie das Glück in uns zu schlafen scheinen.
Wir sind vielleicht zu müde, um zu weinen,
Zu müde auch vielleicht zur Seligkeit.

Gleichwie im Schlaf zu hoher Mittagszeit
Die Waldesseele, Pan, ruht in den Hainen,
Und nur verstohlen Sonnenlichter scheinen
In diese traumgefang'ne Einsamkeit:

So wiegt auch uns in heißer Zeit der Schmerz
In Schlummer, und wir wissen's selber kaum.
Das Leben ruht in uns gleichwie im Traum —

Nicht Glück, nicht Sehnsucht rührt das müde Herz—
Und wir empfinden wunschlos unser Wesen
In die Natur, ins Ewige sich lösen . . .

Alberta von Puttkamer

166. HERBST

Noch war es Sommer trotz den welken Blättern,
Da ist der Herbst gekommen über Nacht
Und hat vom Norden Stürme mitgebracht,
Die ungestüm die Äste selbst zerschmettern.

Und was so vielen sommerlichen Wettern
Mißlungen war, hat nun ein Tag vollbracht:
Die Sonne war entthront und ihre Macht
Gebrochen von den schonungslosen Vettern.

Noch tobt ihr Heulen ungehemmt ums Haus :
Die Fenster zittern und die Türen schlagen,
Da sie einander durch die Gänge jagen,

Und staunend steh' ich vor dem tollen Graus :
Der Garten klagt, verwüstet und entehrt . . .
Was ist's, das in mir Frühlingsglauben nährt ?

Richard von Schaukal

167. AN DANTE

DER du der Hölle tiefste Feuerschlünde,
Der du des höchsten Himmels Strahlenkrone
Begnadet warst zu schau'n, zu Straf und Lohne
Richter berufen über Müh' und Sünde,

Daß streng der Welt er Wohl und Weh verkünde,
Riesig aufragend über ihre Throne,
Und keinen mit demantnem Spruch verschone,
Ob sich der Haß der bösen Macht verbünde :

Bist du derselbe Dichter, der die Worte
Zum duftigsten Gewinde durftest schmiegen,
Den Kranz zu Füßen der Verklärten legtest

Und, stark genug, die Liebe zu besiegen,
Die Lippen nie zu dem Bekenntnis regtest,
Dein eigner Schatten vor des Lebens Pforte ?

Richard von Schaukal

demantnem = diamantnem

TRANSLATIONS

6. A SAFE STRONGHOLD OUR GOD IS STILL

A SAFE stronghold our God is still,
  A trusty shield and weapon ;
He'll help us clear from all the ill
  That hath us now o'ertaken.
    The ancient prince of hell
    Hath risen with purpose fell ;
    Strong mail of craft and power
    He weareth in this hour :
  On earth is not his fellow.

With force of arms we nothing can,
  Full soon were we down-ridden ;
But for us fights the proper Man,
  Whom God Himself hath bidden.
    Ask ye who is this same ?
    Christ Jesus is His Name,
    The Lord Sabaoth's Son ;
    He, and no other one,
  Shall conquer in the battle.

And were this world all devils o'er
  And watching to devour us,
We lay it not to heart so sore ;
  Not they can overpower us.

And let the prince of ill
Look grim as e'er he will,
He harms us not a whit ;
For why, his doom is writ :
A word shall quickly slay him.

God's word, for all their craft and force,
One moment will not linger,
But, spite of hell, shall have its course ;
'Tis written by His finger.
And, though they take our life,
Goods, honour, children, wife,
Yet is their profit small ;
These things shall vanish all :
The city of God remaineth.

Thomas Carlyle

26. WANDERER'S NIGHT-SONG

O'ER all the hill-tops
Is quiet now,
In all the tree-tops
Hearest thou
Hardly a breath ;
The birds are asleep in the trees :
Wait ; soon like these
Thou too shalt rest.

Longfellow

28. THE KING IN THULE

A KING there was in Thule,
   Right faithful to the grave,
To whom his true-love, dying,
   A golden beaker gave.

He treasured nought more highly,
   He drained it at every bout ;
His eyes with tears ran over
   Whene'er he drank thereout.

And when he felt death coming,
   His kingdom's towns he told,
All to his heir he gifted,
   But not the beaker gold.

He sat at royal banquet,
   His knights on either side,
In his high ancestral castle
   Above the rolling tide.

Up stood the old carouser,
   Drank a last vital glow,
Then flung the cherished beaker
   Into the flood below.

He saw it falling, filling,
   And sinking in the sea.
His eyelids closed for ever :
   No other drop drank he.

A. W. B.

29. MIGNON

Know'st thou the country where the lemon grows ?
Amid dark leaves the golden orange glows ;
A gentle wind blows from the azure sky ;
Still is the myrtle, stands the laurel high.
Surely thou know'st it !—There, O there
Would I with thee, O my belovèd, fare !

Know'st thou the house ?   Its roof on pillars white
Resteth, there gleams the hall, the room is bright,
And marble statues stand and gaze on me :
What have they done, O thou poor child, to thee ?
Surely thou know'st it !—There, O there
Would I with thee, O my protector, fare !

Know'st thou the mountain track that cloudward goes ?
The mule there picks its way 'mid mist and snows ;
In caverns dwell the dragons' ancient brood ;
There frowns the cliff, and o'er it falls the flood.
Surely thou know'st it !—There, O there
Goeth our way !   O father, let us fare !

A. W. B.

30. THE ELFIN-KING

Who rides so late through the midnight blast ?
'Tis a father spurs on with his child full fast ;
He gathers the boy well into his arm,
He clasps him close and he keeps him warm.

" My son, why thus to my arm dost cling ? "
" Father, dost thou not see the Elfin-king,
The Elfin-king with his crown and train ? "
" My son, 'tis a streak of the misty rain."

" Come hither, thou darling ! come, go with me !
Fine games know I that I'll play with thee ;
Flowers many and bright do my kingdoms hold ;
My mother has many a robe of gold."

" O father, dear father ! and dost thou not hear
What the Elfin-king whispers so low in mine ear ? "
" Calm thee, calm thee, my boy !   It is only the breeze,
As it rustles the wither'd leaves under the trees."

" Wilt thou go, bonny boy ! wilt thou go with me ?
My daughters shall wait on thee daintily :
My daughters around thee in dance shall sweep,
And rock thee, and kiss thee, and sing thee to sleep."

" O father, dear father ! and dost thou not mark
The Elfin-king's daughters move by in the dark ? "
" I see it, my child ; but it is not they,
'Tis the old willow nodding its head so grey."

" I love thee ! thy beauty, it charms me so ;
And I'll take thee by force, if thou wilt not go ! "
" O father, dear father ! he's grasping me—
My heart is as cold as cold can be ! "

The father rides swiftly—with terror he gasps—
The sobbing child in his arms he clasps ;
He reaches the courtyard with trouble and dread ;
But, alack ! in his arms the child lay dead !

Sir Theodore Martin

34. TO THE MOON

Tree and vale with misty light
Flooding silently,
Comest thou again to-night
All my soul to free.

Over field and garden strays
Still thy healing glance,
Like a lover's tender gaze
O'er my evil chance.

Mirth or grief, my heart again
Feels each vanished mood,
Wandering 'twixt joy and pain
In my solitude.

Flow, belovèd river, flow,
My delight is past,
Mirth and joy have fled me so,
Faith flowed on as fast.

What was mine in years gone by
Is so precious yet—
'Tis my torment now that I
Never may forget.

Speed, O stream, the vale along,
Heeding rest nor ease,
Whispering unto my song
Rippling melodies,

Whether thou in winter bring
Uncontrollèd floods,
Or in splendour of the spring
Bathe the opening buds.

Well for him who, void of hate,
From the world can turn,
Holding to his heart a mate,
Joys with him to learn,

Which, by others never guessed,
Hid from thought and sight,
Through the mazes of the breast
Wander in the night.

Norman Macleod

36. LIMITS OF HUMANITY

WHEN the Creator,
The Great, the Eternal,
Sows with indifferent
Hand from the rolling
Clouds o'er the earth His
Lightnings in blessing,

I kiss the nethermost
Hem of His garment,
Lowly inclining
In infantine awe.

For never against
The immortals a mortal
May measure himself.
Upwards aspiring, if ever
He touch the stars with his forehead,
Then do his insecure feet
Stumble and totter and reel ;
Then do the cloud and the tempest
Make him their pastime and sport.

Let him with sturdy
Sinewy limbs
Tread the enduring
Firm-seated earth,
Aiming no further than with
The oak or the vine to compare !

What doth distinguish
Gods from mankind ?
This !   Multitudinous
Billows roll ever
Before the Immortals,
An infinite stream.
We by a billow
Are lifted—a billow

Engulfs us—we sink,
And are heard of no more !

A little round
Encircles our life,
And races unnumber'd
Extend through the ages,
Link'd by existence's
Infinite chain.

Sir Theodore Martin

42. LONGING

COULD I from this valley drear,
  Where the mist hangs heavily,
Soar to some more blissful sphere,
  Ah ! how happy should I be !
Distant hills enchant my sight,
  Ever young and ever fair ;
To those hills I'd take my flight,
  Had I wings to scale the air.

Harmonies mine ear assail,
  Tones that breathe a heavenly calm ;
And the gently sighing gale
  Greets me with its fragrant balm.
Peeping through the shady bowers,
  Golden fruits their charms display,
And those sweetly blooming flowers
  Ne'er become cold winter's prey.

In yon endless sunshine bright,
  Oh ! what bliss 'twould be to dwell !
How the breeze on yonder height
  Must the heart with rapture swell !
Yet the stream that hems my path
  Checks me with its angry frown,
While its wave, in rising wrath,
  Weighs my weary spirit down.

See ! a bark is drawing near ;
  But, alas ! the pilot fails.
Enter boldly—wherefore fear ?
  Inspiration fills its sails.
Faith and courage make thine own,—
  Gods ne'er lend a helping hand ;
'Tis by magic power alone
  Thou canst reach the magic land !

Edgar Alfred Bowring

43. HOPE

OF better and brighter days to come
  Man is talking and dreaming ever ;
To gain a happy, a golden home,
  His efforts he ceases never :
The world decays, and again revives,
But man for improvement ever strives.

'Tis Hope first shows him the light of day,
  Through infancy hovers before him,
Enchants him in youth with her magic ray,

Survives, when the grave closes o'er him ;
For when in the tomb ends his weary race,
E'en there still we see her smiling face !

'Tis no vain flattering vision of youth,
  On the fool's dull brain descending ;
To the heart it ever proclaims this glad truth :
  Tow'rd a happier life we are tending ;
And the promise the voice within us hath spoken
Shall ne'er to the hoping soul be broken.

                Edgar Alfred Bowring

59. THE GOOD COMRADE

I HAD the best of comrades,
A comrade true and tried.
When drum to battle sounded,
Together forth we bounded
And marched on side by side.

A bullet came fast flying—
For me is it meant or thee ?
Him has it struck and, dying,
Before my feet he's lying,
As 'twere a part of me.

His hand he fain would give me,
While I my musket load.
" My hand I cannot render,
But bide my comrade tender
On the eternal road ! "

                A. W. B.

61. THE LANDLADY'S DAUGHTER

THREE students had crossed o'er the Rhine's dark tide ;
At the door of a hostel they turned aside.

" Hast thou, Dame hostess, good ale and wine ?
And where is that pretty daughter of thine ? "

" My ale and my wine are good and clear,
But my daughter lies on her funeral bier."

And when to the chamber they made their way,
In a sable coffin the damsel lay.

The first, the veil from her face he took
And gazed upon her with mournful look :

" Alas, fair maiden ! didst thou still live,
To thee my love would I henceforth give."

The second, he lightly replaced the shroud,
Then round he turned him and wept aloud :

" Thou liest, alas, on thy funeral bier !
I have loved thee fondly for many a year."

The third, he lifted again the veil,
And gently he kissed those lips so pale :

" I loved thee always, I love thee to-day,
And shall love thee for evermore and aye."

Walter W. Skeat

62. THE CASTLE BY THE SEA

" HAST thou seen that lordly castle,
   That Castle by the Sea ?
Golden and red above it
   The clouds float gorgeously.

" And fain it would stoop downward
   To the mirrored wave below ;
And fain it would soar upward
   In the evening's crimson glow."

" Well have I seen that castle,
   That Castle by the Sea,
And the moon above it standing,
   And the mist rise solemnly."

" The winds and the waves of ocean,
   Had they a merry chime ?
Didst thou hear, from those lofty chambers,
   The harp and the minstrel's rhyme ? "

" The winds and the waves of ocean,
   They rested quietly ;
But I heard on the gale a sound of wail,
   And tears came to mine eye."

" And sawest thou on the turrets
   The King and his royal bride ;
And the wave of their crimson mantles,
   And the golden crown of pride ?

B.G.P.

" Led they not forth in rapture
   A beauteous maiden there,
Resplendent as the morning sun,
   Beaming with golden hair ? "

" Well saw I the ancient parents
   Without the crown of pride ;
They were moving slow, in weeds of woe ;
   No maiden was by their side ! "

Longfellow

76. WHITHER ?

I HEARD a brooklet gushing
   From its rocky fountain near,
Down into the valley rushing,
   So fresh and wondrous clear.

I know not what came o'er me,
   Nor who the counsel gave ;
But I must hasten onward,
   All with my pilgrim-stave.

Downward, and ever farther,
   And ever the brook beside ;
And ever fresher murmured,
   And ever clearer, the tide.

Is this the way I was going ?
   Whither, O brooklet, say !
Thou hast, with thy soft murmur,
   Murmured my senses away.

What do I say of a murmur ?
  That can no murmur be ;
'Tis the water-nymphs that are singing
  Their roundelays under me.

Let them sing, my friend, let them murmur,
  And wander merrily near ;
The wheels of a mill are going
  In every brooklet clear.

Longfellow

83. JUST LIKE A TENDER BLOSSOM

JUST like a tender blossom,
  So sweet and pure thou art :
I look on thee, and yearning
  Stealeth into my heart.

I feel as if I were laying
  My hands upon thy hair,
Praying that God may preserve thee
  So pure and sweet and fair.

A. W. B.

84. A FIR-TREE STANDETH LONELY

A FIR-TREE standeth lonely
  On a barren northern height ;
It drowses, while ice and snowdrifts
  Enwrap it with blanket white.

It dreameth of a palm-tree
   That far in sunrise lands,
Lonely and silent pining,
   On a burning cliff-side stands.

A. W. B.

86. THE LORELEY

I KNOW not what evil is coming,
   But my heart feels sad and cold ;
A song in my head keeps humming,
   A tale from the times of old.

The air is fresh and it darkles,
   And smoothly flows the Rhine ;
The peak of the mountain sparkles
   In the fading sunset-shine.

The loveliest wonderful maiden
   On high is sitting there,
With golden jewels braiden,
   And she combs her golden hair.

With a golden comb sits combing,
   And ever the while sings she
A marvellous song through the gloaming
   Of magical melody.

It hath caught the boatman and bound him
   In the spell of a wild sad love ;
He sees not the rocks around him,
   He sees only her above.

The waves through the pass keep swinging,
   But boatman or boat is none ;
And this with her mighty singing
   The Loreley hath done.

James Thomson

88. CHILDHOOD'S DAYS

My bairn, we aince were bairnies,
   Wee gamesome bairnies twa ;
We creepit into the hen-house
   An' jookit under the straw.

We crawed like the cock-a-doodles,
   An' to hear us the passing folk
At ilk " kikeriki " would fancy
   It just was the bantam cock.

The kists in the yaird we papered,
   And made them bonnie and crouse,
An' we dwalt there, we twa thegither—
   The laird had nae brawer house !

An' aften the neebor's auld baudrons
   Looked in for a mornin' ca' ;
We made her our bobs an' curtsies,
   An' snoovelin' speeches an' a'.

" An' how hae ye been ? an' how are ye ? "
   Was aye the o'erword when she came ;
To mony a queer auld tabby
   Sin' syne hae we spoken the same.

Whiles, like auld carles we sat, too,
    An' oh ! what gran' sense we talked then !
An' bemoaned us how things were a' better
    In times when oursels were young men.

How love an' leal hearts and devout anes
    Had flown frae the warld clean awa',
How the price coffee stood at was awfu',
    An' gowd no' to come by ava'. . . .

They are gane, the ploys o' my childhood,
    An' a' things are ganging, guid sooth,
The gowd, time itsel', an' the warld,
    Love, faith, an' leal-hearted truth.
                    Sir Theodore Martin

89. THE TWO GRENADIERS

To France were trudging two grenadiers
    Who had prisoners been in Russia ;
And they hung their heads to hide their tears
    When they crossed the frontier of Prussia.

There heard they the terrible tidings one day,
    That France had been lost and forsaken,
Defeated and shattered the *Grande Armée*—
    And the Emperor, the Emperor taken.

Then wept together the two grenadiers,
    Their thoughts to the sad news turning :
Cried one : " Alas, my woes and fears !
    And how my old wound is burning ! "

The other said : " The song is done ;
  I'd fain with thee death cherish ;
But I've a wife and little one,
  Who without me will perish."

" What matters wife or child to me ?
  Better longings within me awaken ;
Let them go and beg, if they hungry be—
  My Emperor, my Emperor is taken !

" But grant me, brother, just one prayer ;
  When I'm dead, this tribute pay me :
Take my body with you to France and there
  In France's dear earth lay me.

" And take my cross with the crimson band
  And on my heart here place it ;
My musket, and put it into my hand,
  My sword, and round me brace it.

" So will I lie and listen still,
  Like a sentry, the green grass under,
Till I hear steeds trampling and neighing shrill
  And the cannons' battle-thunder.

" Then I'll know that my Emperor rides o'er my grave,
  And swords are flashing and rending ;
Then I shall arise full-armed from the grave—
  The Emperor, the Emperor defending ! "

A. W. B.

116. OLD HEIDELBERG

OLD Heidelberg, dear city,
With honours crowned, and rare,
O'er Rhine and Neckar rising,
None can with thee compare.

City of merry fellows,
With wisdom lad'n and wine,
Clear flow the river wavelets
Where blue eyes flash and shine.

When Spring from South-lands milder
Comes over field and down,
She weaves for thee of blossoms
A shining bridal gown.

On my heart too thy image
Is graven like a bride,
In thy dear name the accents
Of youthful love abide.

And if with thorns I'm piercèd
And all the world seems stale,
I'll give my horse the spurs then
And ride to Neckar vale.

Jacob Gould Schurman

134. HARVEST SONG

THERE stand the golden sheaves all round,
They stretch to earth's remotest bound.
Whirl, windmill, keep whirling !

There falls the wind throughout the land,
Against the sky mills idle stand.
Whirl, windmill, keep whirling !

There comes a louring sunset red,
And many poor folk cry for bread.
Whirl, windmill, keep whirling !

There broods by night a storm in birth,
At dawn its movement stirs the earth.
Whirl, windmill, keep whirling !

There sweeps the storm o'er fields and sky ;
Henceforth will no man hungry cry.
Whirl, windmill, keep whirling !

A. W. B.

150. A CHRISTMAS PRAYER

PASS us not by, O Mary !
    Come under our roof-tree !
We have not yet forgotten
    'Tis highest a Mother to be.
Pass us not by, O Mary !
    So lonely are we.

Above the sunken hovels
　　Wherein we lie as if dead,
Just once a year there bloweth
　　A Christmas wind overhead,
Whose breath is sweet and tender
　　As thy Child's in his manger bed.

We, who poor and forlorn
　　In shadow and shuddering pine,
Must always watch entranced
　　For the Star of Promise to shine.
When will it stand over
　　Us too with light divine ?

Pass us not by, O Mary !
　　Come under our roof-tree !
We can only keep thinking :
　　'Tis highest a Mother to be.
Pass us not by, O Mary !
　　So lonely are we.

　　　　　　　　　　　A. W. B.

INDEX OF FIRST LINES

	PAGE
Ach, aus dieses Tales Gründen - - - - -	60
Ach, wie ist's möglich dann - - - - - -	1
Als Christus lag im Hain Gethsemane - - - -	108
Als der Herr in Gethsemane - - - - - -	164
Alt Heidelberg, du feine - - - - - -	154
Am Fenster stand die Mutter - - - - -	116
Am Gestade Palästinas, auf und nieder, Tag um Tag -	153
Am grauen Strand, am grauen Meer - - - -	141
Ännchen von Tharau ist, die mir gefällt - - - -	9
Aus alten Märchen winkt es - - - - - -	112
Aus der Jugendzeit, aus der Jugendzeit - - -	95
Aus des Meeres tiefem, tiefem Grunde - - - -	102
Bald gras' ich am Neckar - - - - - -	2
Brüder, laßt uns lustig sein - - - - - -	13
Burg Niedeck ist im Elsaß der Sage wohlbekannt - -	72
Das ist im Leben häßlich eingerichtet - - - -	155
Das Wandern ist des Müllers Lust - - - - -	100
Das Wasser rauscht', das Wasser schwoll - - -	41
Der alte Barbarossa - - - - - - -	94
Der du der Hölle tiefste Feuerschlünde - - - -	208
Der König Karl beim Jubelmahl - - - - -	171
Der Mai ist gekommen, die Bäume schlagen aus - -	138
Der Mond ist aufgegangen - - - - - -	19
Der Säemann säet den Samen - - - - -	18

231

PAGE

Der schnelle Tag ist hin ; die Nacht schwingt ihre Fahn'   199

Des Menschen Seele - - - - - - - 46

Deutschland, Deutschland über alles - - - - 105

Dich vor allem, heil'ge Muttersprache - - - - 160

Die Blätter fallen, fallen wie von weit - - - - 192

Die Luft ist blau, das Tal ist grün - - - - - 31

Die Nebel steigt, es fällt das Laub - - - - - 140

Die Nebel zerreißen - - - - - - - 35

Die Wunde brennt ; die bleichen Lippen beben - - 203

Dort unten in der Mühle - - - - - - 79

Drei Zigeuner fand ich einmal - - - - - 124

Du bist wie eine Blume - - - - - - - 110

Ein' feste Burg ist unser Gott - - - - - 6

Ein Fichtenbaum steht einsam - - - - - 111

Ein getreues Herze wissen - - - - - - 12

Ein kluger Maler in Athen - - - - - - 16

Ein Tännlein grünet wo - - - - - - 129

Ein Veilchen auf der Wiese stand - - - - - 34

Er stand auf seines Daches Zinnen - - - - - 57

Er zog hinaus, das Glück zu fangen - - - - 169

Erwäg' ich, wie in jenen Schreckenstagen - - - 201

Es braust ein Ruf wie Donnerhall - - - - - 141

Es gibt so stille Stunden, wo das Leid - - - - 207

Es glimmt empor aus ew'ger Nacht - - - - 194

Es ist bestimmt in Gottes Rat - - - - - 132

Es lag schon lang ein Toter vor unserm Drahtverhau - 197

Es reden und träumen die Menschen viel - - - 61

Es sang vor langen Jahren - - - - - - 71

Es schienen so golden die Sterne - - - - - 91

Es stand in alten Zeiten ein Schloß so hoch und hehr - 87

Es steht ein gold'nes Garbenfeld - - - - - 179

Es wallt das Korn weit in Runde - - - - - 143

Es war ein Kind, das wollte nie - - - - - 43

PAGE

Es war ein König in Thule - - - - - - 38
Es wütet der Sturm - - - - - - - 120
Es zogen drei Bursche wohl über den Rhein - - - 82

Flüchtiger als Wind und Welle - - - - - 21
Früh, wann die Hähne krähn - - - - - - 131
Füllest wieder Busch und Tal - - - - - - 45

Geh aus, mein Herz, und suche Freud' - - - - 10
Geh nicht vorüber, Maria - - - - - - 195
Gruß dir, frührotschimmerndes Meer ! Gewaltig - - 157

Hart an des Meeres Strande - - - - - - 135
Hast du das Schloß gesehen - - - - - - 83
Hat der alte Hexenmeister - - - - - - 49
Heiß auf den Wassern brütet die Sonne - - - - 166
Herr : es ist Zeit. Der Sommer war sehr groß - - 192
Herr Jesus ging durchs deutsche Land - - - - 193
Herz, mein Herz, sei nicht beklommen - - - - 111
Horch, Kind, horch, wie der Sturmwind weht - - - 182

Ich bin's gewohnt, den Kopf recht hoch zu tragen - - 205
Ich ging im Walde - - - - - - - 34
Ich hab' es getragen sieben Jahr' - - - - - 144
Ich hatt' einen Kameraden - - - - - - 80
Ich hört' ein Bächlein rauschen - - - - - 101
Ich liebe dich, weil ich dich lieben muß - - - - 97
Ich stand an eines Gartens Rand - - - - - 162
Ich träum' als Kind mich zurücke - - - - - 74
Ich war ein Dichter und empfand die Schläge - - - 204
Ich weiß nicht, was soll es bedeuten - - - - 111
Ihr sprecht von Wonnen, die ich nicht begehre - - 186
Ihr wandelt droben im Licht - - - - - - 68
Im Frühlingschatten fand ich sie - - - - - 18

PAGE

Im schwarzen Wallfisch zu Askalon - - - - 156
Im tollen Wahn hatt' ich dich einst verlassen - - - 205
In den Ozean schifft mit tausend Masten der Jüngling - 65
In der Sistine dämmerhohen Raum - - - - 152
In einem kühlen Grunde - - - - - - 90
In einem Russendorfe zog - - - - - - 196
In einem Tal, bei armen Hirten - - - - - 53
In meine Heimat kam ich wieder - - - - - 148
In stiller Kammer ruht das Kind - - - - 198
Innsbruck, ich muß dich lassen - - - - - 5

Jung Siegfried war ein stolzer Knab' - - - - 81

Kennst du das Land, wo die Zitronen blühn - - - 39
Kinder sind Rätsel von Gott - - - - - - 137
Klopft jemand noch an mein vergessen Haus ? - - 184

Leb wohl, du stolze Kaiserstadt - - - - - 98
Lenore fuhr ums Morgenrot - - - - - - 22
Lieblich war die Maiennacht - - - - - - 122
Liegt ein Dörflein mitten im Walde - - - - 173

Mein Kind, wir waren Kinder - - - - - - 113
Mich hält kein Band, mich fesselt keine Schranke - - 62
Mir liegt ein Land im Sinn. Ich weiß es nicht - - 189
Mit einem Zweig von Blüten schwer - - - - 185
Morgenrot - - - - - - - - 125
Muttersprache, Mutterlaut ! - - - - - - 75

Nach Frankreich zogen zwei Grenadier' - - - - 115
Nacht ist's, und Stürme sausen für und für - - - 105
Nächtlich am Busento lispeln bei Cosenza dumpfe Lieder 103
Natur und Kunst, sie scheinen sich zu fliehen - - - 200
"Nehmt hin die Welt ! " rief Zeus von seinen Höhen - 55